T. MOTAI

茂田井 武
「アクロバット」(一九三二～三三年頃)

集英社文庫

いくつもの週末

江國香織

集英社版

挿画・茂田井 武
レイアウト・渡辺貴志

もくじ

いくつもの週末

We usually weekend together.

公園

大きな公園のそばの小さなマンションに引越して二年になる。春には近所じゅうに溢《あふ》れるように桜が咲き、秋には黄紅葉《きもみじ》がいい音で風に揺れる、きれいだけれどちょっと不便――駅が遠く、食料や日用品を買うお店も遠い――な住宅地だ。駅が遠いというのは、つとめ人である夫にとっては随分不便なことだろうと思うのだけれど、しずかだし、散歩には好都合だし、近くにおいしいレストランがいくつもあるし、私は気に入っている。

ここでの生活は、だいたいにおいて少しかなしく、だいたいにおいて穏やかに不幸だ。

よくバスに乗る。駅から遠いぶん、バスがあちこちに走っているのだ。バスの路線はいりくんでいるうえ、一つの停留所に様々な行き先のバスがとまってわかりにくい。私は元来地理に弱いので、知らないバスに乗ると不安でどきどきするが、簡易遠足のようでたのしくないこともない。

私の日常はおもに、仕事と、お風呂と、夫とでできている。そのあいまに歯医者通いや公共料金の支払い、読書や掃除や洗濯や、おやつやお酒や人との約束がある。ときどき公園にいく。公園は、季節や曜日や時間帯によって、全然ちがう顔をしている。

いちばん気持ちがいいのは朝の公園だ。空気が澄んで、まだ誰も吸っていない酸素にみちている。物の輪郭がくっきりし、世界じゅうがつめたくしめっている。

もっとも、寝坊の私が朝の公園をとおるのはパンを買いにいくときくらいだ。バスで二十分のところにおいしいパンを売る店があって、週に一度くらいそこにいく。朝七時からやっていて、焼いたばかりのパンを買えるのだ。ぴしっとしたスーツに身をつつんだ夫――このひとはめったにパンを食べない、朝はせいぜいコーヒーか果物だ――を送りだしてから、顔を洗って口紅だけつけてでかける。パン屋には小さなカウンターがあってコーヒーものめる。店は半地下になっていて、ガラスごしに、いきかう人々の脚がみえる。大通りに面しているので、車やバスのタイヤもみえる。私はここで、たいていエスプレッソをのんでパンを一つ食べる。雨の日は、なんとなく少し長居になってしまう。通勤や通学の人たちにまざって乗る往きのバスはどこか心細い——なにしろ起きぬけでぼんやりしているし、洗いっぱなしの顔は、きれいにお化粧をした人たちばかりのなかで、さむざむしく頼りない——のだが、パンの入った袋を持って、帰りは元気になっている。バスをおり、再び公園を横ぎってうちに帰る。

夜の公園は一人になりたいときにいく。いろんな人がいるので、金曜日か土曜日がおもしろい。きまってトランペットやクラリネットを練習している人がいて、その暴力的で感傷的な音色はいやおうなく耳にしみる。私は歩道橋の上に立ち、かなしい心でしばらくそれを聴く。どうしてかなしい心かといえば、夫とけんかをしたあとだったりするからだ。そういうとき、夜の公園は水のなかみたい。

いちばんよくいくのは昼の公園で、本のほかに、夏はウナコーワ、冬は膝掛《ひざか》けを

持っていく。平日の昼間の公園は、子供たちと若い母親と、老人と犬の散歩の人々の場所だ。

公園のなかに、ぶた公園という場所がある（うま公園もある）。案内図でみつけ、てっきりぶたがいるのだと思って喜んでいってみたけれど、ぶらんこや、山のかたちのすべり台や四角い砂場のあいだにぶたの置物のある、ただの児童公園だったのでがっかりした。それでも、私はそのぶた公園がなんとなく気に入って、そこの小さいベンチによく腰掛ける。飽きると噴水のそばにいく。あとは、たいてい大階段で本を読んでいる。

本はほとんど推理小説だ。これは、結婚して変わったことの一つ。それまで、私は一部の例外をのぞいて推理小説というものがあまり好きじゃなかった。それが、この二年でがらりと変わってしまったのだ。最近読んでおもしろかったのは、マリリン・ウォレスの『嘆きの雨』、ロシェル・メジャー・クリッヒの『凍える遊び』。フェイ・ケラーマンもパトリシア・コーンウェルも、メアリ・ヒギンズ・クラークも、結婚してからとりつかれたように読んだ。いまでは、推理小説がなければ妻生活というものはやっていられない、と思う。マンションに一人でいると、奇妙に孤独でつまらないんだもの。そうするとついいろいろなことを考える。でも、考えない方がいいこともたくさんあるわけで、そういうとき、かわりに、殺されたマックガーンや失踪《しっそう》したレネイ、誘拐されたジョシュのことを考えていればいいのだ。最後にはちゃんとけりがつく。たぶん、けりのつかない場所に不慣れだからなのだろう。私はときどきけりに焦がれる。

これで夫もそういう性質だったら大変（あるいは簡単）だ。でもそうではないので、私がけりについて考えすぎると、夫は、けりなどみたこともきいたこともないというふりをする。ちゃんと。

結婚する前は、夫ともよく公園にいった。昼寝をしたり缶のお茶をのんだり、ぐるぐる歩いたりバドミントンをしたりした。いつか一緒に住むのなら公園のそばに住みたいねと話し、そのとおりになった。ただ、思っていたほど二人で散歩なんかしない。レンタルビデオ屋にビデオを返しにいくときにつっきるとか、バスでどこかにでかけるときに端っこを横ぎるとか、そんなものだ。

そうして、公園というのはそれでさえおおらかに、空の高さや空気のつめたさ、葉の揺れる音や木の枝の美しさ、季節の推移や雨の匂いを頭上にひろげていてくれる。

「散歩にいこうか」

ごくごくまれに、夫が言う。私は、いく、と即答する。いつでも。

週末の公園は、普段とまた全然ちがって色あざやかだ。日曜日の昼間なら青空マーケットがでているし、ホットドッグを売るトラックもくる。立派な大型犬を車でつれてくる人もいる。高校生がたくさんいて、そこここにカップルもちりばめられている。

夫は新聞を愛しているので、公園にいくときには必ず二紙か三紙持参する。日のあたる石の階段に腰掛けて新聞を読んでいる夫の横で、私は推理小説を読むか、ぼうっとまわりをみるかしている。

こういうとき、いつも平日の公園で会う子供たちに会ってしまうとすごく気まずい。夫といるのはフェアじゃないような気がするのだ。どうしてだかわからないけれど。

雨

雨が好きで、雨が降ると雨をみる。窓をあけて眺めるのだ。雨の音をきいて、雨の匂いをかぐ。うちでは母も妹もそうだった。小さな庭やお向いの屋根、みなれた風景が濡《ぬ》れるのをみる。光るアスファルト、低い空、たっぷりと水を吸い、葉っぱの一枚一枚をふるわせている木。私たちはみんな雨が好きで、雨が降れば窓をあけた。

「あ、雨みなきゃ」

雨の日、私がたびたびそう言って窓をあけるので、夫は不審に思ったそうだ。

「さっきみたじゃない」

そういえば夫はときどきそんなことを言った。

でも無論、雨は何度でもみたくなる。朝の雨と午後の雨、夜の雨はそれぞれちがうし、窓によってみえる景色も全然ちがう。降りはじめの、ほこりっぽいような空気の匂いもかぎたいし、いやというほど降りしきっている雨の、清々《すがすが》しく気持ちのいい匂いもかぎたいではないか。

それに、不審に思ったのは私の方もおなじだ。いちはやく雨の音をききわけて、

「雨よっ、みてっ」

といきおいよく窓をあけても、世界がずぶ濡れになるのを待って、そろそろ頃合だと思われるときにおもむろに、

「雨をみましょう」

と提案してみても、読んでいる新聞や雑誌から顔もあげずに、うん、とか、そうだね、とか、気のない返事ばかりする夫に、このひと雨がみたくないのかしら、と、私は心のなかで首をひねった。

そのうちに、お互いに慣れた。私たちは歩みよるということをあまりしないので、おなじ部屋のなかにいてもべつべつのことをしている。一つの檻《おり》に入ったべつの動物みたいに。おまけに、お互いに相手のやり方を内心ばかげていると思っているの

だ（と思う）が、それぞれの思惑のもと、それは黙っている。

私と夫は好きな音楽も好きな食べ物も、好きな映画も好きな本も好きな遊び方も全然ちがう。全然ちがってもかまわない、と思ってきたし、ちがう方が健全だとも思っているのだけれど、それでもときどき、一緒ならよかったのに、と思う。なにもかも一緒ならよかったのに。

雨の日、夫はテレビをみながら新聞を読みながらお茶をのむ。お茶は、ミルクをたくさん入れたシナモンティだ。ときどき、ひろげた新聞の上で爪を切ったり、電気かみそりのなかを掃除したりする。夫は、驚くべきことにほとんど一日じゅうテレビをつけておく。私はテレビがあまり好きではないけれど、ぼーっとみていると、夥《おびただ》しい色が溢《あふ》れてけっこうきれい。雨の日はとくに――。画面と私とのあいだで片膝《かたひざ》をたてた夫の背中は、小さくてとがった山のようにみえる。彼はもともと少し猫背だ。私は、テレビをみながら新聞を読みながらお茶をのみながら足の爪を切る夫の背中をみつめる。

それから外にでる。隣の駐車場をうろうろすると、いろんな車が雨に濡れている。グレーのセダンも赤い小型車も、白いヴァンもごつい紺色の四輪駆動車も、普段よりずっといきいきしてみえる。車というものは、濡れているときの方がきれいだと思う。駐車場のわきにつきささっている、大売出し、という新築住宅の赤いのぼりも濡れている。

「雨みてきた？」

私が帰ると夫が訊《き》く。

「みてきた」

と、私はこたえる。それからまたお茶をのむ。

ところで、夫は傘を持ち歩くのが嫌いで、多少の雨なら濡れる方を選ぶ。結婚する前、待ちあわせの場所にあらわれた夫が濡れていることが何度もあった。朝からずっと雨だったのに、このひとはどうして傘を持っていないのかしら、と奇妙に思い、ゆうべ外泊したのかもしれない、と考えをめぐらせたりしたが、結局、傘を持

つのがめんどうだっただけらしい。必然的に一本の傘に入ることになったが、身長がおそろしくちがうので、傘の位置が私には頭上高すぎて、顔に雨が降りかかってくる。私は閉口した。それで、あるとき夫にもちゃんと言ったのだけれど、私は誰かと一本の傘に入るのが大嫌いだ。とても窮屈。

こんなこともあった。

結婚して一年と少したったころ、朝、夫を見送って、もう一度眠ってお昼ごろ起きた。目をさますと雨で、部屋のなかが暗くて、ぼんやりと――でも不思議にしずかな気持ちで――私はここでなにをしてるんだろう、と思った。

雨には消炎作用があると思う。だから、もしも感情の起伏――たとえば恋愛――がある種の炎症だとしたら、雨は危険だ、といえるかもしれない。

もっとも、去年逆のことがあった。夏に、夫と信州に旅行したときのことだ。詳細は省くけれど、ともかく危機的な状況だった。二人ともそれがわかっていたので、かえって穏やかに落ち着いていた。なにしろそれまでがタフだったのだ（いまでもそうだが、私と夫の生活は、表面はともかく日々愛憎うずまいている）。

東京をでたときはぴかぴかの上天気だったのに、途中でみるみる空が暗くなり、雨になった。豪雨。長野に入ってからはもう空が壊れたような降り方で、いくらワイパーを動かしても前がみえず、そのうちあちこち通行止めになった。夕方には電車も止まってしまったらしいが、とりあえず私たちは目的地についた。そしてそこに閉じこめられてしまった。

いくら雨が好きでも、ちょっとひるむような降り方だった。翌朝にはホテルから一歩もでられない状態になっており、大雨警報だか洪水警報だかがでて、お昼には近隣の人々がホテルに避難してくる騒ぎになった。林のなかにある小さな感じのいいホテルで、私と夫は三日間そこにいた。幸いいいレストランがあって、おいしいフランス料理が食べられた。部屋に広いお風呂があって、大きなガラス窓から林がみえる。私は一日のほとんどをお風呂ですごし、ぼんやりと、林に降る雨をみていた。お風呂からでると缶入りのマティーニソーダやジントニックをのみ、ベッドに寝そべって本を読んだ。夫はずっとテレビをつけたまま、新聞を読んだり昼寝をしたりしていた。お互いに、ほとんど会話をしなかった。

雨があがり、嘘《うそ》のようにぴかぴかの上天気に戻った三日目に、私たちは東京に帰った。一人になりたいという苦しいような気持ちは、どういうわけか消えていた。

雨が降ると、いろいろなことを思いだす。

いつか結婚するかもしれない。

はじめてそう思ったときも雨が降っていた。初夏で、私はドイツにいた。けむる緑がそれはそれはきれいだった。

そして、私はまた窓から外をみる。夜中の雨はとくに爽快《そうかい》なので、ベッドに膝をついて寝室の窓から存分に眺める。雨に洗われた、つめたく気持ちのいい空気が肺いっぱいに流れこむ。

「さむい」

うしろで寝ている夫がもぞもぞと動き、小さな声で言う。ごめん、と、私も小さな声で言い、窓を閉めると、布団にもぐって夫にくっついて眠る。ばらばらと、窓や壁をたたく雨の音がする。

よその女

よその女になりたい、と、ときどき思う。よその女というのはつまり、妻ではない女。

朝、夫はシャワーをあびる。ひげをそって歯をみがく。クリーニング屋から戻ったばかりのワイシャツにネクタイをしめ、ダークカラーのスーツを着る（夫はスーツがよく似合う）。

でも、なにしろ時間がない。

ベッドでコーヒーをのんでいる私にゆっくり顔をみせてくれもせずに、夫は玄関をとびだしていく。靴をはくまももどかしそうに。

あの瞬間の不本意な感じにはちっとも慣れない。

用があったのに。

うしろ姿を見送りながら思う。それがどんな用かはわからないけれど、ともかく用があったのに。

夫は夜になれば帰ってくる。でも、そのときの夫はもう朝のあの男とはちがう。朝の男は少し冷淡。でも私は彼に用があるのだ。よそいきの顔と言ってしまえばそれまでなのだろう。私にはみせなくなった顔。朝の夫はその顔をしている。

私はベランダの鉢植えに水をやる。お風呂に入って仕事をする。

夫はいまごろ、よその女に「おはよう」と言っているかもしれない。よその女の目に、夫は礼儀正しく、感じよく映るだろう。

「よその女って誰よ」

いつもとても夫婦仲がよさそうにみえる、友達の女性編集者Kは訊《き》く。駅前のサンジェルマンでショートケーキを食べながら。

勿論《もちろん》私は即答できた。夫とおなじ電車に乗りあわせる女とか、おなじ会社の（たぶんきれいな）女とか、よその会社の（きれいではないかもしれないが、たぶんいい声をしていてときどき電話をしてくる）女とか。

でも、そんなことを言ったらKは私の頭がどうかしたのだと思うだろう、と思ったので黙っていた。

「妄想じゃないの？」

Kは言い、残っていた紅茶をのみほして窓の外をみる。

「いい天気だね」

少し目をほそめて言う。仕方なく私もうなずいて、

「うん、いい天気だね」

とこたえた。

帰りみち、公園をぬけながら私は考える。

夫は、よその女のことをべつに好きではないだろう。でもいい子だと思っている。彼女はいつも感じがいいから。よその女だから。怒ったり泣いたり、夫の欠点を指摘したりしないから。

「結婚は、財産めあてにしなきゃだめ、と、いつもママはいってたけど、ほんとね。

愛して、いっしょになったら、このざまだわ」

これは、カーター・ブラウン『ゼルダ』の一節。ゼルダといってもフィッツジェラルドとは関係がない。田中小実昌《たなかこみまさ》さんの訳が絶妙の、テンポのいい推理小説だ。

たまによその男の人と会う。よその男はとても親切。礼儀正しいし、いろんな話をしてくれる。私や私の仕事をほめてくれるし、グラスが空になる前におかわりを注文してくれる。無論私はよその男にそんなことをしてもらってもべつに嬉しくないけれど、夫がしてくれたら嬉しいだろうなと思う。そして、この男も自分の妻にはこんなに親切にしないいんだろうなと思う。

結婚するとき、夫に約束してもらったことが一つある。これから先、どんなことがあってもよその女にチョコレートをあげない、という約束だ。お花や靴や鞄《かばん》や装身具ならいいけれど、チョコレートだけは駄目。

私はチョコレートが好きで、おいしいチョコレートはいつもらっても嬉しい。でも、それだけじゃなく、きれいな箱に入ってりぼんをかけられたチョコレートは、それだけでなにか「特別」な感じがする。幸福の象徴。愛の贈り物。

これは我ながら勝手な意見だと思うのだけれど、私はなぜか昔から、チョコレートは男が女に贈るものだと思っている。だから男の人にチョコレートをあげたことは一度もない。甘くて贅沢《ぜいたく》な、快楽を伴って口のなかでとけるチョコレートは、男が女の心をとかすためのものだとしか思えないから。

恋愛にまつわる約束はたいてい無意味で、たとえばほかの人と恋をしないでほしいと言ったところで無駄なのはわかっている。そういうことになってしまえばなってしまうに決まっているし、約束なんかのせいでその機会をのがしてほしくもない。でも、たとえ誰か特別な人に贈り物をすることになったとしても、チョコレートを避けることならできるのではないかと思う。小ぎれいな焼き菓子にするとか、花束にするとかすればいいのだ。そのときの誠実さの方が、私にはよっぽど信用できる。

「きょう、Kに会った」

夜、帰ってきた夫に私は報告する。

「どこで？」

「サンジェルマン」

「元気だった？」

「うん、元気だった」
二、三日前の朝日新聞に、最近の若者は寝そべってばかりいる、という記事がでていたけれど、うちの夫も寝そべってばかりいる。だから私は夫の後頭部ばかりみているような気がする。そのうちに夫はそのまま寝てしまう。天下泰平の寝息をたてて。
少し前まで、私もよその女だったのだ。

部屋のなかはしずかで、音を消したテレビがこうこうとあかりをこぼしている。

「ベッドで寝て」

私は夫を揺すったりひっぱったりする。夫は迷惑そうに顔をしかめる。

「体が痛くなるからベッドで寝て」

こういうとき、よその女がするであろうふうに、やさしく毛布をかけてあげたりすると、次の日に必ず言われてしまうのだ。

「どうしてベッドにいかせてくれなかったの。一晩じゅう板の間で寝て、体が痛くなったじゃないか」

さんざん揺すったりひっぱったりされて、夫は不承不承起きあがる。

「うるさいなあ」

私は、どうして私がうるさがられなくちゃいけないのだろうと腑《ふ》に落ちない気持ちになりながら、寝室にひきあげる夫のうしろ姿をぼんやり眺める。

夫はときどき私にチョコレートを買ってきてくれる。誕生日やクリスマス、なにかの記念日なんかに。私が好きなのはリンツやデメルのシンプルなものだ。銀色の箱に入ったSWISS THINSとか、ピンク色のまるい小さな箱に入ったマーガレットとか。私は、夫にチョコレートをもらうたびに、私をよその女でなくしたことへの、夫のお詫《わ》びの贈り物だと思っている。

月曜日

あれ、寝てたの？

とか、
風邪？

とか、電話口で言われるのはきまって月曜日だ。月曜日の私は疲労困憊《ひろうこんぱい》している。稀《まれ》にだけれど、ほんとうに一日じゅうベッドから起きあがれないこともある。声が嗄《か》れていることもある。

あらゆることが週末に起こるからだ。結婚してからというもの、私のエネルギーはほとんど週末に費やされている。

週末は特別だ。朝、新聞を買いに、夫とコンビニエンスストアにいくのさえ嬉しい。

少し前まで、私には、週末という概念がなかった。会社にいっていないせいだ。

うらやましいと言われそうだが、土曜日も日曜日も仕事をしていただけのことだ、とも言える。

そうしてそれは、夫に会ったことで変わった。夫とは週末にしか遊べないから。これは画期的なことだった。それまで何度か恋はしたが、週末という概念を持つ人と恋をしたのははじめてだったのだ。

私はたちまち週末が好きになった。

週末は、道路も街も行楽地も映画館も喫茶店もレストランも驚くほど混んでいるけれど、それでも全然かまわなかった。

そして、それはいまも続いている。

夫の生活は、日々非常に規則正しい。私は、会社というのは一体どんなところなのだろうとときどき不思議に思う。一人の、大の男の人を――それも、元来規則正しいとはとても思えない性質の人を――こうまで律し、しかもそれを当然のように思わせてしまう場所。

たまには会社を休んでどこかに遊びにいきましょう、と提案しても、夫は絶対うんと言わない。

そうして、会社にいくと随分くたびれるらしく、帰ってくると、ごはんを食べるやいなや寝てしまう。はじめは唖然《あぜん》とした。だって、まだ八時だったりするのだ。つまらなくて、揺り起こそうとしてみたけれど無駄で、そのとき、私は週末という概念を再発見したのだった。

私は、一日を仕事の時間と個人的愉しみの時間にわけて生活しているのだけれど、夫は、一週間をそういうふうにわけているのだ。平日は仕事のために、週末は個人的愉しみのために。

ということはつまり、驚くべきことに、平日の夫は個人的愉しみを一切放棄しているのであるらしい。

仕方ない。

私は、夜は仕事をするか本を読むかしてすごし、夫が恋しくなったら寝顔をみにいって満足することにした。

どうしてもつまらなくなるとたまに夜遊びにでかけるが、夜遊びといっても、タクシーをひろい、明け方までやっている本屋にいくくらいのもので、往復せいぜい一時間半。おとなしいものだ。本屋でなければ終夜営業のファミリーレストランでコーヒーをのむか、公園のそばの歩道橋の上から車を眺めるか。夜は気持ちが澄むから好きだ。遊んでいるあいだ、うちで夫が――ひたすらぐうぐう寝ているとしても――待っていてくれるという考えも好き。帰る場所があるというのは嬉しいことだ。

そうやって、私は週末を待つ。

週末は圧倒的だ。毎週毎週南の島へバカンスにいくような感じ。もっとも、私たちはどちらも活動的なたちではないので、実際には週末もたいていしずか。ずっと眠っていたり、スーパーマーケットにいったり。

そうしてそれにもかかわらず月曜日に疲労困憊してしまうのは、週末の二日間、

Stecke npferd
Lilien m ilch-Seife
à Stück 50 Pfg
BERGMANN CO

全部の神経をそばだてて夫と向かいあおうとしてしまうかららしい。夫に言わせると、私は、「物事をおおげさに考えすぎる」性質なのだそうだ。夫といるときの私は、このひとと片ときも離れていられない、と思っているか、これはもうＦＩＮだジ・エンドだ、と決心しているかのどちらかで、なんというか、のるかそるかなのだ。たぶん、誰かと一緒ということに慣れていないせいだろう。

週末は、いつも夫と一緒にいる。そして、ほとんど毎週末けんかをする。小さなものから嵐のようなものまで。私たちだけの南の島で。

子供のころ、妹とけんかをすると、母に、そんなにけんかばかりするなら離れていなさい、と言われた。そんなにくっついているからいけないのよ。

夫とのあいだにもおなじことがおこる。夫は散らかし屋だし物事に無頓着《むとんちゃく》で感情を軽視しすぎる（と私は思う）し、私は我慢弱く感情的で譲歩というものを知らない（と夫は言う）のだ。そういうわけで、私たちのあいだにけんかの種はつきない。

くっついているからこんなにかなしいおもいをするのだ。

ほんとうに、しみじみとそう思う。そうして、それなのにどうしてもついくっついてしまうのだ。二人はときどき途方もなく淋《さび》しい（一人の孤独は気持ちがいいのに、二人の孤独はどうしてこうもぞっとするのだろう）。

やがて、南の島でのバカンスはおわり、平日が戻ってくる。

月曜日の朝、私は夫が会社にいってしまうのがつまらなくて、つい仏頂面になってしまう。はやく次の週末がくればいいのに、と思いながら玄関に靴をだす。そして、自分でも驚いてしまうのだけれど、そのくせ夫を送りだした瞬間、ものすごい安堵《あんど》の波がおしよせるのだ。安堵と疲労、それから眠け。

私はベッドに戻って死んだように眠る。平日だ。目がさめたら掃除をしよう洗濯をしよう、仕事もたくさんはかどるだろう。夕方になったら軽いお酒をつくってのもう。素敵。窓も全部あけよう。夫はどうして窓をあけるのをあんなにいやがるのかしら。

玄関をでるときあれほど未練がましくしていた妻が、ドアを閉めたとたんにそんなことを考えているなんて、きっと夫は想像もしていないだろう。

私たちは、いくつもの週末を一緒にすごして結婚した。いつも週末みたいな人生ならいいのに、と、心から思う。でもほんとうは知っているのだ。いつも週末だったら、私たちはまちがいなく木端微塵《こっぱみじん》だ。

南の島で木端微塵。

ちょっと憧《あこが》れないこともないけれど。

ごはん

しばらく一人旅をしていない。

そう思ったら、とても旅にでたくなった。

私は、こういうときだけ行動がはやい。手帖《てちょう》をひらき、仕事のスケジュールを考えて、旅行は九月ということに決めた。パスポートが切れていたので、その日、散歩のとちゅうで写真をとり、区役所から書類をもらってきて、翌日には申請した。

夜、会社から帰ってきた夫にまっさきに告げた。

「九月に旅行にいってくる」

背広やネクタイ、ワイシャツやズボンや靴下をそこらじゅうに脱ぎすてていた夫は、服を脱ぐ手をとめ、ぽかんとした顔で私をみてこう言った。

「じゃあ、ごはんは?」

今度は私が、ぽかんとする番だった。

ごはん？

何秒かのあいだ、どちらも黙っていたと思う。それからようやく私は言った。

「ごはん？　最初の言葉がそれなの？」

きょうこれからでかけるというのならともかく、何カ月も先の旅行の予定をきいてでてくる言葉が、どこにいくの、でもなく、何日くらいいくの、でもなく、ごはんは、だなんて。

私は、自分の存在の第一義がごはんであると言われたような気がしてかなしくなった。

このてのことはしょっちゅうおこる。

ごはん
これはくせものだ。結婚して二、三カ月たつと、いやでもそのことに気がつく。

会社から帰ってごはんを食べて眠る、という一連の行動にあまりにも無駄のない夫をみていると、あの、書くも陳腐な新妻の疑問――このひとは、ごはんのためだけに私と結婚したんじゃないかしら——を心のなかから追い払うのは至難の業だ。

それで、ある日ごはんをつくらずにおいてみた。会社から帰った夫は、空っぽのテーブルや整然とした台所をみて不思議そうな顔をして、ごはんは？　と訊《き》いた。背広やネクタイ、ワイシャツやズボンや靴下を脱ぎ散らかしながら。

「ないの」

私はこたえた。

「どうして？」

「つくらなかったから」

私は夫の背広やズボンを拾いあつめながらこたえる。夫はしばらく黙ってから、妙に真剣な様子で、どうして、と、もう一度訊いた。

「つくりたくなかったから」

私はこたえ、おそばでもとりましょう、と提案した。

「おそば!?」

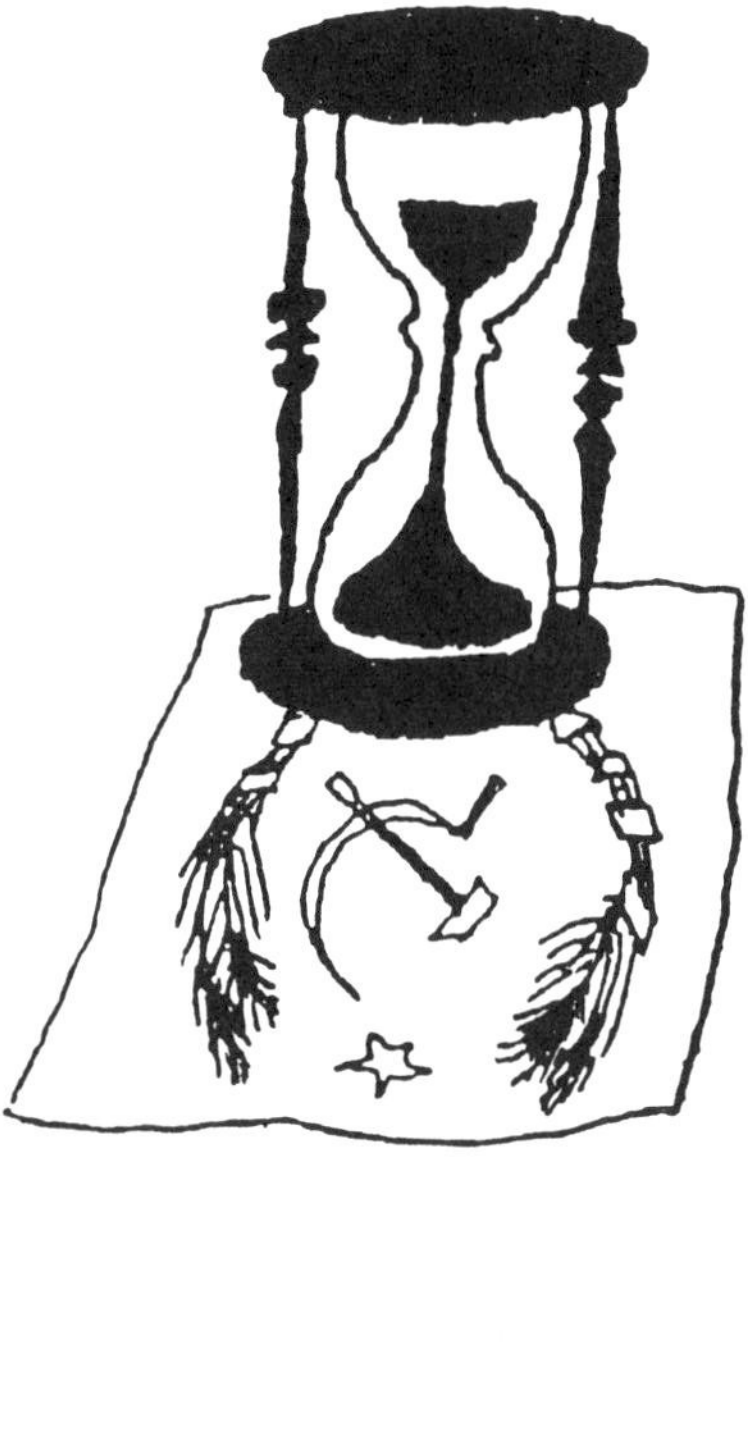

夫は変な声をだした。

「そば屋なんてもうやってないよ」

十時半くらいだったと思う。結局、私たちはその日、夫の車でデニーズにいって夜ごはんを食べたのだった。

そして、そのことが逆効果になってしまった。毎日ごはんがあるとは限らない、と知った夫は、あの忌まわしいセリフ、「ごはんは?」を、しばしば玄関で発するようになったのだ。不安に駆られるのだろう。ドアをあけるやいなや、ごはんは?と。

いうまでもなく、これは私をほんとうにかなしくさせた。これを読んだ人の多くは夫に同情するのかもしれないが、ドアをあけ、ひとの顔をみて最初に言う言葉が「ごはんは?」だなんて、途方もなく失礼な話だと私は思う。

もし私が、もう一生涯ごはんをつくらないと言ったら、あなた私と離婚する?

一度そう訊いてみたことがある。お風呂のなかで新聞を読んでいた夫は、しないよ、とこたえる程度には私の質問に対する「傾向と対策」を学習していたが、その返事を鵜呑《うの》みにしない程度には、私も彼というひとを学習してしまっている。

私は食べることが好きなので、料理そのものは苦にならない。でも、料理のために行動が制限されるというのは大いに苦になるのだ。

一方で、私は勿論《もちろん》夫と食べるごはんが大好きだ。我が家の小さなダイニングテーブルで食べる日々のごはんだけじゃなく、競技場でサッカーをみながらほおばるおむすびも、公園で食べるサンドイッチも、夜遊びのあとで啜《すす》る立ち食いそばも。

実際、私たちはかなりしばしば外食する。二人ともくいしんぼうであるせいと、私が良妻ではないせいだ。よく日のあたる近所の香港《ホンコン》料理屋さんとか、私の脂身《あぶらみ》嫌いをなおしてしまったとんかつ屋さんとか、土の匂いのワイルドなマッシュルームサラダが食べられる、青いひさしのテラスレストランとか。

気に入ったものは、ときどき真似《まね》をしてつくってみる。おいしくできるととても嬉しい。

いつもおなじひととごはんを食べるというのは素敵なことだ。ごはんの数だけ生活が積み重なっていく。

「九月の旅行、私の我儘《わがまま》なのは知ってるわ」

数日後に私は言った。ごく一般的にいって、結婚したら、みんなそうそう気軽に一人旅になどいかないものであるらしいことも知っていた。

「でも私はその我儘をなおすわけにはいかないの」

ほかに言い様がなかった。

「そのこと、ほんとうはわかっているんでしょう？」

夫はしぶしぶうなずいてそれを認めた。

「やっぱりね」

私の声は、自分の耳にさえ嬉しそうに響く。

「旅行中は外食してね。上野さんやたくろうさんと飲みにいったら？」

私は夫の友人の名前をあげた。

「旅行中、しょっちゅうあなたのことを考えるわ。約束する」

私が言うと、夫は一瞬疑わしそうな顔をしたけれど、不承不承、うん、と言ってうなずく。

「あなたも私のことを考えてね」

うん、と即座にこたえた夫の横顔をみながら、ほんとなの？　ごはんじゃなく私をよ、と、釘《くぎ》をさしたくなるのを辛《かろ》うじておさえた。

色

結婚してから生活が色つきになった、と思う。なにもかもがいきなり色つきになり、それはとてもたのしいことであった反面、同時にまた少々落ち着かないことでもあった。

もともと、あまりカラフルなものを好むタイプじゃないのだ。色とりどりの花束をいただいたときでさえ、色別に分解して飾る——白い花は玄関に、黄色い花は洗面台に、というふうに——ことにしているほどだ。

そうやってしつらえた部屋のなかのような落ち着いた精神状態で暮らすには結婚は不向きだ。

独身生活にはモノトーンの秩序があり、最近気がついたのだけれど、私はこの「秩序」というものを、かなり愛しているのだった。

……とはいえ。

色つきの生活はときどきとても幸福だ。

深夜お風呂のなかで本を読んでいて、急に恐怖にかられてすくんでしまうことがある。そういうとき、お風呂場の戸と洗面所の戸を両方あけ放つと、廊下をはさんで反対側の寝室から、夫のいびきがきこえてくる。とたんにほっとして、一人ではないのだと嬉しくなる。色つきというのはたとえばそういうこと。

日曜日の午後、寝てばかりいる夫を起こそうと揺すったりひっぱったりするうちに、私も隣にくっついて寝てしまい、夕方おそく、ほとんど暗くなってから、すっかり寝たりた子供のように、淋《さび》しいような満ちたりたような奇妙な気持ちで一緒に起きる。なんとなくきまりが悪い。二人ともおなかがすいていて、それからおいしいものを食べにでかける。色つきというのはたとえばそういうこと。

夜、ふいに思いついてドライヴにでかける。それはごく現実的な理由――夫の愛読している雑誌の発売日で、夫はどうしてもそれを発売日に読まないと気がすまない、とか、ゴミ袋の買いおきが底をついていた、とか――によるものから、春なら夜桜をみに並木の下を往復しにいく、というものや、夏、雨に濡《ぬ》れる東京タワー（東京タワーというものは、昼間みてもちっともきれいではないのに、夜みるとどうしてあんなに素晴らしいのだろう）をみにいく、というようなものまで様々だけれど、いずれにしても、そこにはあらかじめ電話をかけて誘い、スケジュールを調整して約束し、待ちあわせてでかける、というプロセスを踏んだのでは到底存在し得ない特別な空気があって、私はその身軽さや鮮度が大好きだ。色つきというのはたとえばそういうこと。

誰かと生活を共有するときのディテイル、そのわずらわしさ、その豊かさ。一人が二人になることで、全然ちがう目で世界をみられるということ。

私個人に関して言うならば、大切なのは夫が男の人だということだ。だから生活が色つきになった（思うのだけれど、誰かと暮らしたいのなら同性の友達と住んでもいいのだし、愛し愛されたいのなら、犬や猫を飼う方が簡潔かつ確実だ。ただ、男の人と住むと生活が色つきになる）。

兄弟がいないせいか、八年間女子校に通っていたせいか、あるいはそんなこととは関係なく生来ぼんやりしているせいか、私は男の人について実に無知だった。家のなかにいる男の人について。

驚くことばかりだった。

このひとは一体どうしてあけたひきだしをしめないのかしら（勝手にしめたら失礼かしら、と思ったのはもう百万年も昔のことだ）。このひとは一体どうして手を洗うだけで洗面所じゅうを水びたしにしてしまうのかしら。おまけにどうしてタオルというものを使わないのかしら。このひとは一体どうして返事をしないのかしら。このひとは一体どうして自分の着るもののしまい場所をいつまでたってもおぼえないのかしら。このひとは一体どうして——。

私自身まだ半信半疑なのだが、このひと、を、男の人というもの、におきかえても全然かまわないらしい。結婚している女友達が口を揃《そろ》えて言うんだもの。あなた、そんなことも知らなかったの？

ほんとうに、そのとおりなのだ。そんなことも知らなかった。知らないというのはおそろしいことだ。おそろしくて野蛮な、乱暴でエキサイティングなことだと思う。だって私は知らなかったのだ。男の人というのがどんなにいいものかということも、また。恋人とすごす夜の甘やかな親密さではなく、ただ一緒に眠るときの男の人の腕が一体どんなに心地いいものか。男の人の単純、男の人の複雑。男の人の寛容、男の人の安心。

そして、起きたり眠ったり、歩いたり水をのんだり窓の外をみたり、話したりためいきをついたりあきれたり、どなったり怒ったり無関心だったりするそのいちいちが、一つ一つ全部色つきだということ。

『サム・サフィ』という映画のなかに、「自立なんて興味ないね。人生は依存のゲームなんだから」というセリフがあった。依存というのはすごくむずかしいし、勇気がいる。

十代の後半から二十代の半ばまで、私は日々こまかく日記をつけていたのだけれど、月ごとに目標を書く習慣になっていた。目標といってもおおげさなものじゃなく、今月は大掃除をする、とか、レポートを仕上げる、とか、二kgダイエットをする、とか、ごく日常的な覚え書きだったのだけれど、最後に必ず、一人でなんでもできるように、と書き加えていた。毎月毎月、何年も何年も。

子供のころからテンポがのろく、ひとをたすけるよりは圧倒的にひとにたすけられてきた。でも、だからこそ依存は恐怖だったし、これまでずっと、なんでも一人でできるように、というふうに（結果はさておき）思ってきたのだった。

たよってもいいのだ。

あるときふいにそう思いついたのだけれど、そう思ったときの居心地の悪さは忘れられない。

色つきの世界というのはたぶん、この依存と関係があるのだろう。大人にしかできない依存もあるのだと、夫に出会って知ったように思う。

風景

一度、夫と二人で、びっくりするような星空をみたことがある。車のなかから、全開にしたルーフごしにみた。栃木県の山のなかで、ほんとうに降るようなくだけたような、空じゅう埋めつくすような星々が、一つずつみんな濡《ぬ》れたように光っていた。私たちはあっけにとられ、言葉もなくただ上を向いていた。ときどきあのときのことを考える。結婚する前に、二人でみた風景のこと。

わさび田もそう。晴れたあたたかい五月の午後、長野県でみたわさび田の、若々しい緑と水の美しさ。私は徹夜で仕上げた原稿を、途中のドライヴインから投函《とうかん》してでかけた。あの日のことは、たぶん夫も憶えていると思う。水車がゆっくりまわっていた。

そういう風景はいくつかある。共有する記憶。

私たちはあのころ別々の場所にいたけれど、いつも会ってはおなじ風景をみた。

別々の場所にいたからこそ、と言ってもいいと思う。いま私たちはおなじ場所にいて、たいていちがう風景をみている。

近所に気に入りのテラスレストランがある。新鮮でワイルドなマッシュルームサラダや、苦くておいしいキャラメルアイスクリームが食べられる。私も夫もそこが好きで、週末にはよく散歩がてらでかける。なんとなく風通しのいい店で、比較的すいているし、晴れた日の窓際の席はとても気持ちがいい。私たちはそこにならんで腰掛けて、ガラスごしにぼんやり外を眺める。いま夫の目にはどんな景色が映っているんだろう、と考えながら、私は私ののみものを啜《すす》る。

うちのなかにいてもそうだ。私たちはたぶん全然ちがうものをみている。夫がテレビを、私が夫の頭を。夫が現在を、私が未来を。夫が空を、私がコップを。

私には、そのくらいがちょうどいい。そりゃあたまにはもどかしくなって、全部おなじならいいのにと思うこともあるけれど、心のなかのいちばん澄んだ場所ではちゃんと、それが「一時の気の迷い」だと知っている。

一時の気の迷い、は、我が家における冗句《じょうく》であり真実であり結論であり、使用頻度の高い常備薬だ。

夫と一緒にいたくて、なにもかも一緒にしたくて、これ以上そんな気持ちがつのったら変質的だ、と不安になることがある。一緒にいたい、というよりも、一緒にいないともう一緒にいられない、という感じ。一緒にいて、出会って二カ月目の恋人同士みたいにくっついていないと、自分の気持ちを見失いそうになるのだ。一緒にいなくても大丈夫だと思わせないで、と思う。それはもう切実に。途方に暮れている私に夫は言う。

「一時の気の迷いだよ」

すると、私はその言葉の正しさに、心からほっとする。自分たちがどこからみてもちゃんとした夫婦で、自分たちの関係がとても安定したものだというふうに錯覚できる。

「そうだよね」

と私は言う。そうだよね、たとえ一緒にいなくても、一緒にいなくて大丈夫だなんて思わないよね。

けんかをして、すっかりとり乱し、どなったりわめいたりしたあげく、一人だけ荒涼とした場所にでてしまうことがある。時は到れり、と私は思う。でていく時だ。でていく時だ。とにかくいかねば、とにかく――。

玄関に立ちふさがった夫は言う。

「一時の気の迷いでそんなことをしちゃいけない」

私はその言葉をきくたびに、その響きのとってつけたようなばかばかしさに、何度でもつい笑ってしまう。

「これが一時の気の迷いなら、結婚は恒久的な気の迷いだわ」

私が言うと、夫は少し黙って考えて、

「そんなことない」

とこたえる。でも、夫の目は、絶望的なかなしさで、そのとおりだと言っている。

夫も知っているのだ、と思うと私はいっきに身体の力がぬけてしまう。

「そんなことない」

ともかく夫はそう言い張る。玄関に立ちふさがったまま。

そんなわけで、私たちはきょうもおなじ場所で、全然ちがう風景をみている。

でも、考えてみれば、ちがう風景は素敵だ。出会ったとき、人はお互いが持っているそのちがう風景に惹《ひ》かれるのだ。それまでの時間、一人一人が積みあげてきた風景。

私は、夫と一緒にみた栃木の星空や長野のわさび田とおなじくらい、私一人だけがみてきた風景と、夫が一人だけでみてきた風景とを愛しているように思う。

一年に何度か夫の郷里にいく。実家には両親とおばあさんがいて、ちかくに親戚《しんせき》や友人がいる。あの町の色彩や日ざしの感じ、大通りや信号やひろびろした川や、小学校や本屋や旧県庁や、子供のころからいっているというぼろっちい中華屋、近道や抜け道、その風景のいちいちの、はるかな遠さ、そして親しさ。

私は、夫を他人として意識する瞬間が好きだ。ときどき、街なかで他人のつもりになってみることがある。このあいだ電車のなかでやってみたときには、随分体の大きなひとだな、と思った。姿勢の悪いひとだな、と思ったこともある。へんな服だな、と思ったことも、けっこう好きな感じの男のひとだ、と思ったことも、つまらなそうなひとだ、と思ったこともある。

反対に、もしいま夫が私をみたら、他人のような気がするだろうな、と思うときもある。仕事の打ちあわせをしているときだとか、ふるいお友達と会っているときだとか、なにかのまちがいで講演をするはめになったときだとか。

夫の目に他人のようにみえるだろうな、と思うときの私の精神状態は、得てして安定しているような気がする。モノトーンの安定。

世界はいつも見事に多重構造だ。私たちの小さなマンションのなかにさえも、いくつもの風景が折り重なり、いくつもの時間が流れている。

ところで、少し前まで、私は朝に化粧をする習慣がなかった。洗いたての方が気持ちがいいし、だいいちうちのなかでお化粧をしている習慣がそもそもない。夜じゅう仕事をして、夫がでかけてから眠るということもあるので、それどころではない場合もあった。

それが最近、私は毎朝口紅だけでもつけることにしている。実際には、口紅ではなくもっと軽いグロスのようなものだけれど、ともかくまあ化粧にかわりはない。人生なんてどこでどう変わるかわからない。いつ別れることになっても、別れたあと、夫の記憶にのこる風景のなかの私が、少しでも好印象であるように、と思ったのだ。

もっとも、突然朝からつやつやの唇で見送るようになった妻をみて、夫はきっと、一時の気の迷い、だと思っているにちがいない。

歌

無論結婚は“struggle”だ。

それはたとえばアップダイクの短編小説『鳩《はと》の羽根』のなかの、

「女とは議論できんよ。母さんは正真正銘、女だ。だからおれも結婚したわけだが、今はそのおかげで、この苦労だ」

というセリフからも窺《うかが》い知ることができるし、ジュリエット・ルイスのでていた映画『恋に焦がれて』の、

「なぜ男の子ってわがままなの？」

「将来夫になるための練習をしてるのよ」

という、母親と娘の会話からもあきらかだ。

デブラ・スパークの中編小説『暗い夜の島で』には、

「とっても幸せ、というわけではないわ」マリアの声が聞こえた。「でもね、幸せ

がすべてではないでしょう」

　というぞくぞくするようなくだりがあるし、おなじくデブラ・スパークの短編『母の友達』には、

「この家も、この家族も、そして丹念に見つくろわれたこの花模様のシーツでさえ、選ばれてここにある。選ぶことは気まぐれで恐ろしいことでしかない」

　という一節もある。

　ブローティガンは『レストラン』という詩を書いていて、それはこういう詩。

三十七歳
彼女はもうすっかり疲れてしまった
結婚指輪、これはいったいなにかしら
彼女は空っぽのコーヒーカップをじっと見つめている
まるで死んだ鳥の口でも覗《のぞ》き込んでいるみたいだ

夕食は終わり
夫はトイレに行ってしまった
でもすぐ戻ってくるだろう、次は彼女がトイレに行く番だ

アリス・マンローの『マイルズ・シティ、モンタナ』には、

「僕にはわかっているよ。君には根本的にわがままで、信頼できないところがあるんだ」


とアンドリューがいったことがある。

「僕にはずっとわかっていた。だから僕は君が好きになったんだけれどね」

「あなたのいうとおりよ」

と私は、少し悲しくなって、しかし気が楽になっていった。

「あなたなしで暮らしたほうが幸せになれるって私にはわかっているの」

「うん。そのとおりだと思うよ」
「あなたも私がいないほうがずっと幸福になれるわ」
「ああ」

というふうに夫婦げんかが活写されている（はじめてこれを読んだとき、私は独身で、オーマイゴッドと思ったものだった。いまはほんとによくわかる。ここまでたどり着かないと落ち着かない気持ち）。

タミー・ホウグに至っては、あんまりおもしろくない長編ミステリ『夜の罪』のなかでこんなふうに書く。

……もしポールが帰ってきて妻が彼のコートを着ているのを見つけたら、きっと始まるに違いない言い争いがもう聞こえるような気がした。

「自分のコートがあるじゃないか」

「べつにいいじゃないの。いまあなたはこれを着ているわけじゃないんだから」

彼の物を着ていると、何だか安心で、守られ、愛されているような気がすることを、きっとハナは説明しようとはしないだろう。彼自身ではなく、彼の服のほうにより多くの慰めを見いだしているという事実などどうでもいいことなのだ――ポールにとっては、何の意味もないことに違いない。彼の服はかつて二人が分かち合っていたものの思い出、かつての彼の思い出のようなものなのだと、彼にわからせることはとてもできそうにない。それは死体に着せる屍衣《しい》のようなものだ。彼女はそれに身を包んで、結婚生活の中で死んでしまったものを思って泣くのだ。

うふふふ。独身の読者は目をおおいたくなるでしょう?

突然だけれど、私はよく歌を歌う。昼間、部屋のまんなかでぼんやりしながら、とか、夜、散歩をしながら、とか。歌を歌うことは体にいい、と、結婚してから思うようになった。頭のなかが空っぽになるところがいいのだ。肺に空気が送りこまれる気がするところも。

歌はなんでもいいのだろうけれど、私は歌詞を憶えている曲があまりないので、必然的に童謡中心になる。『あの子はだあれ』とか『青い眼の人形』とか。たまにはトレイシー・チャプマンだったりエディ・リーダーだったり古内東子《ふるうちとうこ》だったりもするのだけれど、自分でもびっくりするような曲が、知らないうちに口をついてでることもある。長渕剛《ながぶちつよし》の『泣いてチンピラ』とか、ホワイト・ライオンの『ハングリー』とか。

歌は不思議。たちまち心身にしみて、心を軽くしてくれる。歌っても、聴いても。たとえば、夫とけんかをして興奮しているときは何も手につかないので、仕方なく自分で自分をおさえつけて冷静になるのを待つのだけれど、そういうときに、夫と出会う前に聴いていた曲を聴くと落ち着く。夫なしでもちゃんとやっていたころ。夫なしでも幸せだったり満ちたりていたりしたころ。

そんなのは逃避だ、と言われるかもしれないが、なにしろ愛の生活は苛酷《かこく》なので、逃避の手段の一つや二つはどうしたって要る。

ときどき夫も歌を歌う。でも夫の歌う歌はたいてい私の知らない歌だし、歌詞は曖昧《あいまい》で、ドゥドゥドゥドゥとかデデデーンとか、どちらかというと楽器のパートを歌うことに熱心なようだ。

私たちが一緒に歌える歌というのは、たぶん一曲もないのじゃないかしら。

音楽は人の気持ちを無防備にする。だからたとえば私が夫に腹をたてているとき、私たちがばかみたいにスイートだったころの曲をいきなりかける、というのは夫のときどき使う手だ。こんなことで態度を軟化させるわけにはいかない、と十分わかっているのに、音楽は肌にも髪にもふってきて、細胞の一つ一つに直接作用してしまうので、私はもう般若顔《はんにゃがお》をし続けることができない。

たしかに結婚は"struggle"だ。満身創痍《まんしんそうい》。でも、風が吹けば傷口は乾くので、いちいち気にしないことにしている。

そうして、日々の生活のなかで、この風というのはつまりとりあえずくっついて眠るという行為だったり、おいしい料理だったり、熱いシャワーだったり、くり返し聴く音楽だったりするのだと思う。そういうささやかなものたちにその都度すくわれていかないと、とても愛を生き抜けない。

桜ドライヴとお正月

生粋《きっすい》の江戸ッ子を自認している友人がいて、彼女は数年前に生粋の江戸ッ子である現在の御主人と結婚した。赤ちゃんも生まれて幸福そうだが、夫婦げんかはかなりの頻度でしているらしい。

「もういやっ、もう別れる」

生粋の江戸ッ子である彼女は思いつめるたちでしばしばそう言うが、一年に一度、

「駄目、私、絶対別れられない」

という電話をかけてくる。神田明神のお祭の直後だ。はっぴ姿の御主人は、それはそれは恰好《かっこ》いいのだそうだ。

「そりゃあお祭のときの男のひとたちはみんな恰好いいわよ。でも違うの。他のひととなんか目に入らなくなっちゃう」

と、友人はまじめに言う。だから普段のけんかのときも、私は、

「お祭まであと何カ月あるの？」

と訊《き》くことにしている。彼女は素直なたちで、

「来月」

とか、

「あと半年以上ある」

とかこたえたあとで、

「うん、とりあえずそれまで待ってみる。でも、それでも駄目だったら絶対別れる。

今度ばっかりはもう駄目な気がするの」

と言うのだが、勿論《もちろん》お祭までこぎつければ御主人の勝ちだ。

「駄目、私、絶対別れられない」

翌日の電話で友人は必ずそう言うのだから。

こういうのはけっこう大切。古典的ＴＶドラマで、結婚記念日を憶えているとかいないとかが夫婦げんかの種になるのもそういうことなのだろうと思う。一年に一

度くらい初心にたち返りたくなるのだ。初心にたち返る、というより、初心をむりやりひっぱりだす、という方が正確だけれど。

我が家では、それはたとえば春。一年に一度、夜、会社から帰った夫に、

「桜をみたい」

と言う。普段、お月見しようとか夜のドライヴをしようとか散歩にいこうとか誘っても、今度ね、とあっさり断られてしまうのだけれど、桜だけは特別。次の日が風や雨だったらたちまち散ってしまうからだ。夫は、たいてい、

「いいよ」

と言ってくれる。

近所に桜並木がたくさんある。二子玉川《ふたこたまがわ》にいく途中とか、大きな教会の近くとか。夫と私は、車の屋根をあけて、深夜その道を走ることになっている。

私は立ちあがって屋根から顔をだすので、夫はゆっくりゆっくり走ってくれる。そうでないと風が顔にぶつかって息ができないからだ。住宅地なので、あたりはほ

んとうにしずか。顔が寒いけれどあれは素敵なドライヴだ。街灯のあるところはとくにきれいで、つい口をあけてしまう。月もみえる。

「もう一回」

とか、

「別の道もとおって」

とか、嬉しくてたまらない私は言う。白い花びらをみあげながら、来年もこのひとと一緒に桜をみられるかしら、と思う。これはまったく単純な疑問文として思うのだ。一緒にみたい、と思うのではない。一緒にみるのかしら、と思う。それはなんだか不思議な感じで、そう思うとき私は自分の人生をちょっと好きになる。来年もこのひとと一緒に桜をみる可能性がある。そのことがとても希望にみちたことに思えて嬉しい。そうして、それは勿論一緒に桜をみない可能性もあるからこその嬉しさだ。物語が幸福なのは、いくつもの可能性のなかから一つが選ばれていくからで、それは私を素晴らしくぞくぞくさせる。

果てしなく続いていく日常のなかで、自分のいまいるところを確認するポイント、というのかしら。一年に一度の桜ドライヴも、友人夫婦のお祭も、たぶんそういうことなのだと思う。そういうささいなことどもに、たぶん夫婦は支えられている。

一年に一度といえば、私はまだ一度も夫とお正月をすごしたことがない。

私も夫も身勝手に生きてきて、独身のころから好きなリズムで好きなように暮らしていた。ただ、お正月だけは、両親とすごした。どちらもそういう習慣になっていて、結婚してもそれは変わらない。もっとも、私の実家は都内にあって、遊びにいこうと思えばいつでもいかれる場所なので、夫の両親にしてみれば、お正月だというのに一体どうして夫（息子）が一人で帰ってくるのかいぶかしく思っているかもしれない。私が夫とおなじくらい（ひかえめに言っても）風来坊で、お正月くらいしか実家に帰らない、ということを彼らは知らないし、夫にしても、まわりのお友達などをみるにつけ、帰省は夫婦でするのが普通なのではないか、と思うらしく、お正月の予定を話しあうとき、私がうちに帰ると言うと、ふうん、と言う。ふうん、

と、ごく軽い不服をこめて。

ふうん、と思うのは、でも私もおなじことだ。べつべつにすごすお正月。たとえば小さな——ちょうど二人分くらいの——漆塗《うるしぬ》りの重箱、そこに彩よくつめられた、おいしいものだけのお節《せち》。おもちを焼くこうばしい匂いと澄んだお雑煮、二人だけのしずかなお正月。そういうのに憧《あこが》れていた。

憧れていたのだけれど、まあ、ねえ。それはいつかまでとっておく。現在の私と夫にとって、いちばん自然なかたちがそれなら仕方がない。いつか、たぶん、二人だけのお正月もくる。たぶん。

それで、実家のお正月。一月の調布は素敵だ。めったに遊びにいかないし、泊ることなど大みそか以外にはないので、玄関も階段も廊下も壁という壁もすごくひさしぶり。なつかしいというよりもっとなにか涼しい感じだ。お菓子のカルミンくらいの感じですうすうする。淋《さび》しいような、ほっとするような。

元旦《がんたん》の朝、私はベランダにでる。道路と、近所の家の屋根と、その向うに水田がみえる。それら全部の上に空がみえる。元旦の空気は寒くてとても清潔な匂いがする。

結婚する前、遊びにいくときに車で迎えにきてくれる夫をよくベランダで待った。夫は時間をちっとも守らないので、一時間も二時間も、あるいはそれ以上も遅れてあらわれることがざらだった。信じられない、冗談じゃない、どうしてこういい加減なのかしら。そう思っているのに、夫の車がやってくるのがみえるとたちまち嬉しくなってしまった。ついこのあいだなのに、随分と遠い日。

新しい年がきて最初に顔をあわせるひとが夫だというのには憧れるけれど、新しい年がきて、最初に「会いたい」と思うひとが夫である方が、私には幸福に思える。夫に会いたくてせつなくなる朝が、一年に一度くらいは要ると思う。

だって、もう一日泊っていけば、と母に言われても、どうしても帰りたくなってしまうのだ。夫はまだ実家にいるというのに。

帰りたいと思うことは我ながら妙だし、家族や調布（の街）や家に対してひどく気がとがめもするのだが、二日以上いたら元の自分にたちまち戻ってしまいそうで怖いのかもしれない。あまりにも容易に想像できるから。

帰る、と言い張ってタクシーを呼び、両親や妹に見送られて乗りこむとき、私は毎年ほんとうに絶望的にかなしい気持ちになる。一体どうして私はここからでたりするのだろう、と思う。結婚式の朝とそっくり。

でも、タクシーが現在のマンションにちかづくにつれて、帰りたいと思えたことにものすごくほっとする。ああまだ大丈夫。夫に会いたいと思えてよかった。うちに帰りたいと思えてよかった。

「はやく帰ってきて」

うちに着いて、私は夫に電話をかける。

一人の時間

る。

愛情というのはある種の病気だなと思う。それがあるためになにもかも厄介にな

だから、このあいだ知っている編集者に、

「なんだかんだ言ってても旦那《だんな》さんを愛してるんですよねえ」

と言われたときには憂鬱《ゆううつ》になった。そうなのだ。そのとおり。愛してさえいなければ、すぐ離婚するのに。

離婚をしたら、と、ときどき私は考える。すごく身軽になるだろう。少なくとも部屋はきれいに保てるし、自分の食べたい味のごはんをつくれる。犬も飼えるし、騒々しいテレビを始終つけていなくてもよくなる。帰りの予定を決めない旅行にだっていかれる。心しずかに暮らせるだろう。そうして、なにより夫をもっと好きになれる。

きっと私は夫とけんかしたりしない。どなったり、逆上してつかみかかったり、蹴《け》ったりもしない。もっとずっと感じよくふるまう。

夫も、たぶんずっと礼儀正しくしてくれるだろう。離婚をしたら。

そこまで考えて、私はいつもふいに淋《さび》しくなってしまう。その考えは目新しいものじゃないから。それどころか、したしい、昔なじみのものだから。やあ、と言ってふいにあらわれる、忘れていた知りあいみたい。

少し距離のある関係の方が“comfortable”で素敵だ、というふうにしか考えられなかったのに、いいえ結婚をするのだ、わずらわしいことをひきうけるのだ、ともに現実に塗《まみ》れて戦うのだ、と無謀にも思えてしまったあの不思議な歪《ひずみ》を、私はいまでも美しいものだったと思っている。美しくてばかげていて幸福ななにかだった、と。

錯覚でもまちがいでもちっともかまわない。私をあのしずかな場所――完結した場所――からつれだしてくれたというその一点において、私は夫に感謝している

（冗談じゃない、つれだされたのはこっちだ、と、夫は言うかもしれないけれど）。

　離婚をしたら。

　そうしてそれにもかかわらず、私はやっぱりときどきそう考える。存外な熱心さで。

　結婚したときもそうだったように、役所には私が届けにいくのだろう。夫は会社があるし、すごくめんどうくさがりだから。

　窓口で書類が受理されたとたんに、私はきっとなにかとり返しのつかないことをしてしまったような気がする。そのくせ絶望的にほっとするだろう。

　届け出をすませておもてにでると、風景が全部ちがってしまっている。ちがう眼球でみているから。

「そういうの想像することない？」

「ない」

　夫は機械的に即答する。テレビから目もはなさずに。

「一度も？」

「一度も」

ふうん、と言いながら、私はたちまち嬉しくなってしまう。嘘《うそ》でも形式でも、ともかくそうこたえてくれたことに。

だいたい、私はすぐに楽になりたがる性質なのだ。夫は、楽をすると必ずつけがまわってくると思っているようだ。

バランスがいいというのか、かけはなれているというのか。一体どうやって結婚したのだったろう。どういうふうにして、というのはさっぱり上手《うま》く思いだせないが、ともかくとてつもない強引さでそうしたいと思ったことは憶えている。

世のなかの、結婚している（あるいはしたことのある）たくさんの人たちが、結婚について多くを語らないのはなぜなのか、自分がしてみてようやくわかった。蜜《みつ》のように幸福で、惜しくて言いたくないわけでは勿論《もちろん》ないし、だからといって辛苦にみちていて、憂鬱で言えないわけでもやっぱりない。単純に、みんな口をつぐむ

JEAN JADOT

しかないのだ。その結婚があまりにも特殊で個人的で、偶然と必然がねじりパンのようにねじれていて、説明不可能な様相を呈していて。

それは、たとえばけんかの理由が千差万別なのと似ている。深刻で滑稽《こっけい》で数かぎりない――うっかり掘りあててしまった石油のように、こんこんと湧《わ》きで続ける――けんかの理由。

よくみつけるね、と、夫は言う。

みつけるわけじゃないわ、発生するのよ、と、私は言う。あなたが目の前に差しだすんじゃないの。

夫は、きこえないふりをする。

ふりをする、というのは夫の得意技の一つだ。このひとは私の言うことをわからない訓練をしているのじゃないかしら、と思うことがしばしばある。どういうふうに言っても、何度言っても、私がなにを言おうとしているのか、夫にはさっぱりわからないようにみえるから。

わからないふりをしているのだ、と、ある日忽然《こつぜん》と思いあたった。辻褄《つじつま》があう。賢いひとだから、考えてみれば、ほんとうにわからないはずはないのだ。夫の自衛手段なのだろう。それを認めるわけではないけれど、逃げる場所がないのは気の毒だと思う。一人になれる場所。

私は昼間一人でうちのなかにいるけれど、夫は会社にいっている。会社にはたくさんの人がいる。夜うちに帰れば、私が待ちかまえている。

無論誰にだって一人の時間は必要で、私など、それがなかったら絶対に精神的安定をたもてない、という自信があるので、夫のこともできるだけ一人にしてあげたいとは思う。そうは思っているのだけれど、でも駄目。夫は朝はやくでていって、夜おそくまで帰らないんだもの。帰ってきたら、ついそばにくっついてしまう。夫がごはんを食べているあいだ、私はそばでみている。新聞を読んでいるあいだは、そばで本を読んでいる。夫がテレビをみていれば、そばでピアノをひいている。

ピアノは最近買った。ヘッドホンをつけて消音にできる電子ピアノなので、素晴らしく重宝。お互いに、うるさい思いをせずに一緒にいられるから。

「こんなにずっとくっついていられたら大変よね」

つい先日、私は反省をこめて言ってみた。

「たまには一人になりたいわよね」

夫は奇異なものでもみるような顔をした。

「たまにはって？」

夫の顔に、ほんのわずか怒りのかげがさす。

「きのうだって留守だったじゃないか。先週は二度も朝帰りをしたし」

そういえば、と思った。

「その前の週だって、うちにはいたけど仕事場からでてこなかったじゃないか」

「あれは、だって締切《しめき》りがあったから。ひどくぎりぎりになっちゃってて」

私はしどろもどろになった。

「たまにはってどういう意味だよ」

あきれた、という顔で言う夫に、私は返す言葉がなかった。

すっかり忘れていた。いつもいつも夫にまとわりついている、と思っていたが、それは、うちにいるときはいつもいつも、なのであって、それも、締切り前の土壇場をのぞく、という条件つきなのだった。

「よかった」

仕方なく私は言った。

「私、ちゃんとあなたを一人にしてあげてるのね」

それからがばりと抱擁をした。棒立ちになっている無言の夫に。

自動販売機の缶スープ

すぐそばの自動販売機に、今年も缶スープが入った。缶のままのむコーンスープ。

きのう夫と散歩にでた。日曜日で、近所の小学校が「校庭開放」というのをしていて、夫はその貼り紙に目を輝かせ、ずんずん入りこむとカゴからボールを勝手にだして、バスケットゴールに投げて遊んだ。私はいまだに学校というものがあまり好きではないのでどうも居心地が悪いなと思いながら、それでもぶらぶらするうちに、ウサギ小屋をみつけてしばらくそれを眺めていた。缶スープに気がついたのは、その帰りみちだった。

あれ、もうそんな時期？　と思った。そう思って、そう思ったことにひそかな感慨があった。ちょっと余裕がでてきたみたい。

気をつけてみていると、自動販売機の商品はしょっちゅう変わる。売れゆきの悪いものは撤去されてしまうらしく、私の好きだった野生のなんとかというブルーベリージュースはなくなってしまったし、スープのような季節物も、夏と冬の衣替えのように単純ではない。秋になると、コーヒーも紅茶も徐々に温かいものがふえ、やがて——秋もかなり深まったころに——ココアが入る。スープが入るのはそのさらにあとで、ほとんど冬のはじめだ。

しかしそんな順番は知らなかったので、結婚した年の秋、私は自動販売機の横をとおるたびに、まだスープが入っていない、と気を揉《も》んだ。今年からスープはやめになったのかもしれない、と思った。

缶スープが好きだったわけじゃない。

ただ、賭《かけ》みたいな気持ちで待っていたのだ。たぶんもうすぐスープが入る。そうすればきっと大丈夫。

結婚一年目は、私の人生のなかで、二度とくり返したくない一年だ。たぶん夫もおなじ意見だろう。

いま思うと、私はなにもかもに疑心暗鬼になっていた。もともと疑い深い性質なのだ。それに加えて結婚というのはあらゆる恋人から根拠を奪うので、どうしたって疑心暗鬼にならざるを得ないのだった。

たとえば一緒に暮らす前ならば、夫が会いにきてくれるととても嬉しかった。会いにくるということは、私に会いたいのだなとわかったから。でもいざ一緒に住みはじめると、夫は毎日ここに帰ってくる。私に会いたくなくても帰ってくるのだ。そのことが腑《ふ》に落ちなかった。ばかばかしいと思われるだろうけれど、どうしても腑に落ちなかった。

「会いたかった？」

会社から帰った夫に訊《き》けばうんうんとうなずくが、そのうなずき方はまるでトラ張子のようでちっとも信用できないし、いくら結婚一年目とはいえ、そんな質問をそう毎日し続けるわけにもいかなくて、私は困り果ててしまった。一事が万事その調子なので、あの一年はほんとうにくたびれた。

無論、そのほかに嵐のようなけんかがくり返されるのだ。

自動販売機で売っているスープというものを、私はここではじめてのんだ。結婚する前、住む場所を決め、カーテンだの食器棚だのを選び、ああほんとうに結婚するんだなあと甘やかに思ったりしていたころだ。

注文した荷物が届くのを待って、朝から空っぽのマンションにつめて待っている、ということが何度かあった。夫は会社があるので、その役はたいてい私がしていたが、一度だけ一緒にしたことがあった。土曜日だったか日曜日だったか、よく晴れた冬の日で、朝の九時からここにいた。

まだ椅子《いす》一つなく、冷蔵庫もテレビもベッドもなく、ただのがらんとした部屋のなかで、夫は自分で持ってきたステレオをくみたてていた。私はそばにすわってそれをみていた。窓から入る日ざしが床に模様をつくっていたのを憶えている。

一体何をしていたのだか、私たちは部屋を一歩もでずに、夜の八時までそこで荷物を待っていた。四件ほどくるはずの宅配便の、一件が夜までこなかったのだ。くみたてたばかりのステレオで音楽を聴き、届いた荷物――食器とかタオルとか――

の梱包《こんぽう》をほどき、あとはずっとならんですわって話していた。そのあいだ、缶入りのお茶を二つのんだほかは一切のまず食わずで。

おもてにでるとすっかり夜で、寒くて、空気が澄んでいて、そのときになってやっと二人とも、

「おなかすいたね」

と言いあった。月も星もでていた。自動販売機の缶スープはあのときにのんだのだった。温かくて、しっかりした質感で喉《のど》から空っぽのおなかに落ちた。身体に栄養が吸収されるのがわかる、という感じ。

一年目の冬、自動販売機に缶スープが入るのは随分と遅かった（ような気がする）。あのときのあれは幻だったのかもしれない、と思った。空腹にも気づかずに空っぽの部屋のなかにいたあれは。

私はほんとうに臆病《おくびょう》だなあと思うのだけれど、もうやめよう、と思うとほっとする。どんなことでも。幻だった、と思うのも一緒だ。いっそさっぱりする。そう

いえば、昔、従兄《いとこ》によく「根性なし」と言われた。

そうしてそれでいて、自分でもいやになる切実さで缶スープを待っていた。毎日販売機までみにいった。一年目の冬のはじめ、それをみつけたときには、だから、ああ、と思った。ああ、これできっとまだ大丈夫。

それが今年は、あれ、もうそんな時期？　だったのだ。余裕というか、鍛えられたというか。

結婚を決めたとき、勿論《もちろん》私はこのひとと一生涯はなれられないと思っていたのだが、そう思っていたのは私（と夫……たぶん）だけだったらしく、周囲はみんな、（失礼にも）一年もつかどうかだと言っていた。結婚記念日には母から花束が届くのだけれど、そこに添えられた言葉は、去年もおととしも、お祝いというより驚きの言葉だった。

ほんとうのことを言えば、でも私も半分驚いている。そうしてそれは、夫の寛容によるものだろうなあと思う。

夫の寛容。

これはもう、我が家のキーポイントだ。それなしではにっちもさっちもいかない。

でも、私は都合よく思うのだけれど、寛容などというものは、夫婦の一方が持っていればいいのではないかしら。両方が持っていたらかえって困るかもしれない。

夫にそう言うと、

「俺はべつに困らないよ」

と言うのだが、でも、片方が寛容を備えているのなら、もう一方は情熱を備えていなくては、というのが私の主張。

「情熱ねえ」

夫は苦笑する。

「いっぱい持ってるもんねえ」

そうよ、と、私は半ばひらき直って認める。危機がやってきたとき、寛容と情熱が私たちを辛うじてつなぎとめるのを知っていた。

「ま、ほどほどにね」

夫は言い、

「ほどほどの情熱なんてつまらない」

と私は言う。

どうやら、まだ缶スープを信じているらしい。

放浪者だったころ

夫と、ひさしぶりに横浜にいった。横浜は私たちのはじめて出会った場所で、たびたびでかけた場所でもある。私たちがまだ放浪者だったころ。

そのころ夫は寮住まいだったし、私は家族と住んでいて、ボーイフレンドとは絶対に外で会う、と決めていた。臆病《おくびょう》だったのだろう。おもてで遊ぶ方が安心だった。うちのなかとか心の奥とか、誰かをプライヴェートなところまで入れてしまうのは怖かった。

それで、私たちはひととおり外で遊びつくすといくところがなくなった。公園は寒いし、もうコーヒーものみたくない、というときにいく場所がないのだ。どちらも自分の部屋には頑としてよばなかったから。

放浪者みたいだね。よくそう言いあった。一緒に帰れる場所があればいいのにね。

いくところがなくて、別々に帰る場所には帰りたくなくて、夜中まで――というよりたいてい明け方まで――うろうろしていた街。

ひさしぶりの横浜で、日曜日の真昼のお粥《かゆ》屋《や》さんの行列にならびながら、そんなことを思いだした。いまの私たちには帰る場所がある。そのことを幸福に思う一方で、みるからに現役の放浪者らしい、新鮮で熱の高いまわりのカップルたちが少しまぶしかった。

いいなあ。

少し、そう思った。

お昼を食べたあと、近くの店で中華菓子を買ってから、私たちは元町を散歩した。あ、あの紅茶屋、とか、あ、あのスーパーマーケット、とか、あちこちで記憶と目の前の風景が重なる。あ、ベーテとアーハを買ったお店。ベーテとアーハはガラスでできた小さな人形で、夫に買ってもらったものだ。いまは食器棚のなかにいる。

横浜はいいお天気で、人出が多く、賑《にぎ》やかだった。

散歩はたのしかったけれど、ひっかかることがあった。さっきから、私一人で随分と懐古的。

もう帰ろう、と私から言ったのは、記憶にばかり反応してしまうことがいやだったからだ。うしろ向きは不本意。

もっとも、私の性質として前進という発想はさらにない。じっとしているのが好きなのだ。ことに好きな男のひとと一緒のときは、星空の下の二匹の羊のようにやすらかに、眠るようにただじっとしていたい。

ところが結婚は動く歩道のようなものなので、じっとしていると前進してしまう。どことも知れない、たぶんいきたくもない場所に。それで、そこにじっとしていようと思ったら、ついうしろ向きに歩いてしまうのだ。動く歩道に拮抗《きっこう》するために。

でも、そうやってじっとしているのが正しいことなのかどうかはわからない。ときどき思う。このまま歩道にのっていたらどこへいくんだろう。日々の生活やその焦点や、物事のやり方や考え方や、夫への愛情や友情や、そういうものはみんな一体どこへいくんだろう。

その場所をみてみたいという気持ちが、たぶんどこかにあるのだろう。いきどまりをみてみたい。だからこうして動く歩道にのっている。おりることもできるのに。誰かと一緒でなくてはのっていられない歩道。

どうして結婚したのかとよく訊《き》かれるが、私は、自分用の男のひとがほしかったのかもしれない。勿論《もちろん》そのときにそう思ったわけではないけれど、いま思えば、愛情と混乱と幸福な偶然の果てに自分用の男のひとがほしかった気がするし、また、誰か用の女でいたいと強く望んだような気もする。誰か一人の女。悲劇的なことに、結婚の醍醐味《だいごみ》はやっぱりこの一対一というところにあるらしい。

英語は、その文法的性質上、日本語よりずっと頻繁に、ずっと自然に所有格がつく。his girl とか、my darling とか my lady とか。ラブソングを数曲聴けばすぐわかる。

たとえば Richard Marx は、あの甘ったるい声で“Now and forever I will be

DEWARS WHIT
STRAND MAGAZIN

your　man” と歌っているし、笑ったのはCherで、あの低い迫力のある声で、“You are my main man” と歌っている。メインマン！　よくいったものだと、これはけっこう気に入っている。

それにくらべてRichard Marx。“Now and forever I will be your man” とはまったくなんというから手形だろう。鼻白む。ただ、たしかにまったくばかばかしいけれど、から手形でもいいからきってほしいときがあるのだ。

「もう帰るの？」

遊ぶことに貪欲《どんよく》で、いつもなら夕方をみたいとか夜もみたいとか、なんとか理屈をつけて帰るのをのばす妻が自分から帰ると言いだしたので、夫は不審そうな声をだす。車は少し離れたビルの駐車場に停《と》めてあり、車に乗るやいなや、私はさっき中華街で買ったねじり菓子をかじった。ものすごくかたいやつだ。二センチくらい窓をあける。新鮮な空気。でも、夫が寒いと言うので私はおとなしく窓を閉める。

いいお天気。車のなかは矛盾だらけだ。じっとしていたいと言いながら動く歩道にのってしまったり、でかけたいと言ったくせに帰りたいと言ったり。

「どうしたの」

夫が訊き、私は、どうもしない、とこたえる。このひとは、放浪者だった日々をちゃんと憶えているだろうか。

フーフ。

私は声にだして言ってみる。その言葉のばかばかしい響きを味わうために。

「ブーフーウー?」

夫が茶化す。

「くまの子ウーフ」

もう夫にはわからない。ウーフを知らないなんて無知だなあ。

私は自分の左手をみる。私たちは普段結婚指輪というものをしていない。いつもつけているなんて冗談じゃないと言っている。でも、私は自分の指にはめたそれをありありと思いうかべることができる。金色の指輪。私はそれを、たとえば夕方スーパーマーケットにいくときにはこっそりつける。妻ぶるために。

ぶる、は便利語の一つ。たとえば妹と買い物にいく。

「妹ぶってもいい？」

というのは何かほしいものをみつけたときの妹のセリフ。私は姉ぶって、それを買ってあげるのだ。逆に、私が、

「姉ぶってもいい？」

と訊くのは妹のボーイフレンドにけちをつけるとき。

「あなたそれは最悪よ、やめなさいそんな男」

私は姉ぶってそんなことを言う。

「これ」

私は鞄《かばん》のなかから指輪を二つだし、一つを自分の指にはめて、もう一つを夫に渡した。

「えっ、呪縛《じゅばく》するの⁉」

夫はおおげさに驚いた声をだす。彼は結婚指輪を「呪縛」と呼んでいる。

「そう。ちょっと夫婦ぶってみるの」

わかった。夫はおとなしくうなずいて、その小さな輪に自分の薬指をおしこむ。

そして、私たちは放浪者でいっぱいの、日曜日の横浜をあとにした。

猫

最近仲のいい野良猫がいる。小柄でしなやかなきじ猫で、たいていいつも向いのアパートの駐車場にいる。ボンネットの上で昼寝をしているか、車の下でじっとしている。きれいな猫で、小さな顔に、くっきりした金色のアーモンドアイズを備えている。私が外から帰るととびだしてきて、甘え声をだしながら足にまとわりつく。しゃがんで手をだすと顔をこすりつける。

もっとも、彼女は私にだけそうするわけじゃなく、このマンションの住人のうち、「脈あり」の何人かにはおなじように甘えているらしい。散歩途中の老人にも、よくくっついている。

したがって食糧事情もよく、彼女は実に贅沢《ぜいたく》で、みゃあみゃあ鳴いて空腹を訴えたときでさえ、新鮮なお魚なら食べるがサラダ用の鮭缶《さけかん》やツナ缶にはそっぽをむく。なかなかしたたかな猫なのだ。

ところが、子供のころからほとんど動物を飼ったことがない——その昔、にわとりをひよこから育てたという経歴をのぞけば——という夫には、彼女のしたたかさがちっともわからないらしいのだ。

会社から帰る夫の足元に猫がかけよると、夫はすっかり相好を崩してしまう。すごい勢いでうちにとびこんでくるのだ。

「食べもの、食べもの。はやく食べものだしてよ。なんでもいいから」

「なんにもないわ。きょうはシチューだし」

こういうときの夫はまるで小学生のようで、

「じゃあ野菜でもいいよ。玉ねぎとか、にんじんとか」

などと言う。

「食べないと思う」

「じゃあそのクッキーは？　チョコレートはどうだろう」

私はあきれてしまう。

「食べません。それに、夕方どこかのおじいさんにお魚もらってたのみたもの」

夫は鞄《かばん》を置きもしないでつっ立って、

「でもにゃあにゃあ鳴いてたよ。きっと食べるよ。またお腹がすいたんじゃないかな。なんかだしてよ」

と言う。仕方がないのでおかかの袋を渡してあげるととびだしていく。

猫は申し訳程度に匂いをかいで、気がむけば口をつけるが、それにしてもすぐに飽きてほとんど食べない。澄ました顔で傍《かたわら》に退き、毛づくろいをしたりする。夫はほんとうにがっかりした顔をする。ばかばかしいと思われるだろうが、その途端、私はとても胸が痛む。

私と彼女との交流はもっぱら夜中だ。

「三日月がきれいだから散歩にいこう」

と言っても夫の同意を得られずに、ふてくされてコーヒーカップを持ったままおもてにでたときに、彼女とお月見をしたりする。向いのアパートの駐車場の端に、ちょうどいい高さのコンクリートの仕切りがあって、私はそこに腰掛けてコーヒーをのむ。猫は、私の両足首のあいだでぐるぐる8の字をかいて歩きまわる。

夫は煙草《タバコ》をすわないし、うちではお酒ものまないので、私は以前から深夜ときどき一人でそこに腰掛けて、ちょっとのんだり煙草をすったりしていたのだった。

ここしばらくは、アマレット・ソーダに凝っている。アマレットは杏《あんず》からつくったやわらかいお酒で、杏仁豆腐《あんにんどうふ》に似た匂いがする。私はもともとこの風味に目がなくて、アイスクリームにかけて食べたら必ずどちらかを空にしてしまうのだけれど、これをソーダで割って、夜におもてでのむと実に実に蠱惑的《こわくてき》な味がすることを最近発見した。

そんなふうにして、夜中に猫とぼんやりしていると、奇妙な共犯意識が芽生えてしまう。お互いに秘密を共有している、という感じ。彼女がどう思っているかはわからないけれど。

勿論《もちろん》私は彼女に秘密を打ちあけたりしない。でも、そうしていると、「さびしさ丈《だ》けがいつも新鮮だ」と言った金子光晴みたいな気持ちになって、それは彼女も絶対にあの華奢《きゃしゃ》な体のどこかに潜ませているはずの何かだ、という気がする。

ところで、私は彼女の性別を確認したことがない。確認したことはないけれど、きっと雌だと確信している。

私はときどき、男と女の狡《ずる》さのちがいについて考える。女の狡さは積極的でつめたい（あるいはあつい）けれど、男の狡さは消極的でぬるい（あるいはあたたかい）、というのがその考察結果で、もしもそうだとするならば、消極的でぬるい（あるいはあたたかい）狡さの方が絶対により狡い、と思う。考えれば考えるほど、より狡い。

それはたとえば、何かを主張するのに結果がどうなろうと知ったことじゃない、というのが女の身勝手さであるのに対し、結果だけは正確に見据えて、あとはまあ知ったことじゃない、と考えるのが男の身勝手さであるのと似ている。

コンクリの仕切りに十分もいれば、月も夜風も堪能《たんのう》できる。アマレット・ソーダ

ものみおわるので、私は猫に挨拶《あいさつ》をしてうちに帰るのだけれど、このときいつも、ほんの少し気がとがめる。私には帰る場所があるから。帰る場所というのは無論うちのことではない。

猫はこのとき、昼間のように私の足に体をすりよせて、マンションの自動扉のなかまでついてきたそうなそぶりは決してみせない。知らん顔で顔を洗って、ゆうゆうと車の下に落ち着いてしまう。そこの方がずっと快適なのだといわんばかりに。

うちのなかはあたたかで、テレビの音がしていてすごくうるさい。新聞や雑誌やテレビのリモコンや、お菓子の袋や耳かきや爪切りやティッシュの箱がそこらじゅうに散らかっていて、それを蛍光灯の光がすみずみまであかるく照らしだしている。そうしてその混沌《こんとん》のまんなかで、私の帰る場所が毛布にくるまってごろんとうたた寝をしている。

「もっとヴォリウムを下げて」

私は言い、リモコンを拾っていっきに十ポイントくらいヴォリウムを下げる。

「新聞を一枚ずつにして散らかすのはやめて」

ばさばさと音をたててそれをたたみ、私は何度も夫をまたぎながらそのまわりを片づける。

「袋菓子の口は輪ゴムかキッチン・クリップでとめておいてっていつも言っているでしょう？」

夫は眠っているというのに、私は小さく声にだして言い続ける。声にだして言わないと、不機嫌が体のなかに積もっていくからだ。ぶつぶつぶつぶつぶつ、漫画にでてくるガミガミ女房みたいに。

ひととおり片づくと、私は夫の横にくっついて寝そべる。腕をまわしてうしろから抱きしめると、夫は迷惑そうに顔をしかめる。

さびしさ丈《だ》けがいつも新鮮だ。

私は胸のなかで言ってみる。

おもてでは、猫が金色の目を糸のように閉じ、両前脚を折りたたんだ端正な姿勢のまま、しずかに眠りについたころだろう。

甘やかされることについて

結婚したばかりのころ、出勤前の夫が自分の荷物の段ボール箱から、ビデオテープやカセットテープやＣＤをとりだし、選別して机の上に積みあげた。“Johnny Hates Jazz”とか松尾清憲とか尾崎豊とか、夫の気に入りのシンガーたちのテープだった。

「これ、聴いてれば？」

自分が会社にいっているあいだつまらないだろうから、という配慮だったらしいが、私はひどく不本意だった。閉じこめられる気がしたのだ。

「あなたがいなくても、することとくらいたくさんあります」

私が言うと、夫はちょっと驚いた顔をした。

「それに、自分の聴く音楽くらい自分で選べるわ」

いろんなことに神経質になっていたのだろう。朝会社にいく夫を見送るということ自体おいてきぼりのようで淋《さび》しかったし、夫が好意でしてくれたことはわかっていたが、積みあげられたテープやCDは、私には、たとえばでかける前に鳥の餌箱《えさばこ》をいっぱいにしていく行為に似ているように思えたのだ。

無論いまなら全然ちがう。

もしもいま夫が、自分のでかけたあとの私のためにそんなことをしてくれたら、私はすっかり感激してしまうだろう。嬉しくて抱きついてしまう。一日じゅう仕事のBGMにするかもしれない。三年というのはそういう時間だ。

正しさなんて全然問題じゃない。

結婚して、たった一つ学習したことがそれだった。正しさに拘泥《こうでい》したら結婚なんてできない。私は夫に、私をどんどん甘やかしてほしいと思っている。正しくなくてもいいからどんどん甘やかして、夫がいないと何もできないというふうにしてほしい。そうすればここにいることが私の必然になるし、逆にいうと、そうでないとここにいる必然性がなくなってしまうのだ。隣同士に住んでいる恋人同士でなぜい

けない？

私もできるかぎりそうしている。甘やかしたり甘やかされたりするのは大人の特権だ、と思っているから。

たとえば夫は自分で水をのまない。「水」と言う。「のみもの」と言うこともある。私は掃除をしていても料理をしていても、本を読んでいてもビデオで映画をみていても、すぐに中断して夫に水を持っていく。たとえば焼き魚は全部骨をとらないと食べないし、ぶどうは皮をむいて種をとってださないと食べない。はじめは驚いたけれど、いまは全然かまわない。それで幸福ならとても簡単なことだもの。幸福にしたりされたりする方が、教育したりされたりするよりずっと素敵だ。

贈り物もそう。私は夫に贈り物をするのが好きで、しょっちゅうしてしまう。でも、したいときにするのがいいのであって、口実――ヴァレンタインズデイとかクリスマスとか――をつけるのは好きじゃない。

贈り物ができる、というのは結婚してよかったと思うことの一つ。それまで、贈り物というのは相手を拘束するような気がしてできなかった。身につけるものはとくに。

夫の方でも、会社でおやつがでると食べずに必ず持って帰ってきてくれる。たいていは旅行にいった人のおみやげで、個包装されたクッキーとかおまんじゅうとかだ。夫はそれを背広のポケットに入れてくるので、クッキーは見事にこなごなになっているし、おまんじゅうはつぶれている。たまにお懐紙に包んだ——個包装されていない、むきだしの——八つ橋なんかを持って帰ってくることもあり、あやうく大きな声をだしそうになる（こういうものは自分で食べてきてちょうだい。ポケットがニッキの粉だらけじゃないの。信じられない衛生観念！　これを私に食べろっていうの？　はじが乾いてかりかりになっているのに？）。けれど、私は言葉をのみこんで、そのお菓子——元お菓子、と呼びたいようなものなのだけれど——をちゃんと——まあ、ほとんどの場合——食べる。夫のおみやげだから。甘やかされた妻でいたいから。甘やかされるのは素敵だ。

私は夫といるとき、重いものは絶対に持ちたくない。重いものは持ってほしいし、夜道は一緒に歩いてほしい。虫は退治してほしい。ときどき贅沢《ぜいたく》なチョコレートを買ってきてほしいし、怖い夢をみたら安心させてほしい。

正しくなくても全然いいからそうしてほしいのだ。結婚は野蛮。

中島みゆきの歌に、「浮気女と呼ばれても　嫌いな奴《やつ》には笑えない　おかみさんたちよ　あんたらの方が　あこぎな真似《まね》をしてるじゃないか」という歌詞があるけれど、ほんとうにそうだ。

結婚したばかりのころ、私はよく夫に、

「私以外の女の人ともちゃんとつきあってね」

と言っていた。つきあうというのは当然ながら恋愛をするという意味でなく、

「ちゃんと向きあってつきあって、その人のことをちゃんとみて。結婚していることを理由にその結果から逃げないで」

という意味ではあったのだけれど、ばか者だったなあと思う。勿論《もちろん》私はこう言う

べきだったのだ。

よその女のことなんかみては駄目。

三年というのは、やっとそれを学べた時間だった。無理がとおれば道理ひっこむ、というのかしら。

男も女も　恋というもの　身を庇《かば》うて成るものか

これはいつか狂言できいた文句。穏やかで愛のある結婚生活を送るためには、捨て身で無理をとおさなくてはいけない。

キープレフト

夫が自転車を買った。銀色の自転車。うしろに乗せてもらった。二人乗りなんて重くてできないのじゃないか（夫はやせっぽちで非力。タンタンみたいに細い足をしている）と思ったけれどできた。嬉しかった。夫と出会って七年になるけれど、一緒に自転車に乗ったのははじめてだ。

夫も自転車はひさしぶりなので、ハンドルがふらついてあやしい。怖くて怖くて、私はうしろで、もういやだはやくおろして、お願いだからおろして、と言い続けていた。狭い道はとくに怖い。私は軽い尖端恐怖症《せんたん》なので、塀とか植込みとかがいきなり——夫の背中で視界がさえぎられているので、それはほんとうにいきなりなのだ——目にとびこんでくると縮みあがってしまう。

「もっとゆっくり走って」

「ハンドルをぐらぐらさせないで」

「お願いだから車道を走らないで」

文句ばっかり言いながら、ああ私は夫の運転を信用していないんだなあと思った。

そのくせ、その夜おそくなってから、私はどうしてもまた自転車に乗りたくなってしまった。しばらく逡巡《しゅんじゅん》したが、仕方なく夫にそう言って頼んだ。昼間とてもお尻が痛かったので、お風呂あがりに使う足拭《あしふ》きマット——ざぶとんがわりにするには二つ折りにしても大きく、毛足のながい白いパイル地のそれは、夜のなかで異様に目立った——を持っていって荷台に敷いた。

夫のうしろは、二度目もやっぱり怖かった。でも、夏の夜は草と虫の匂いにみちていて、ひとけのない住宅地をあてもなく走るのはたのしかった。すごく幸福だと思った。

「けんかのいいところは仲なおりができることね」

というのは、ジェイムズ・ディーンのでた映画、『ジャイアンツ』のなかのセリフだけれど、私はまったくそうは思わない。仲なおりは、けんかのなかでもいちばんかなしい、いちばん絶望的な部分だと思う。

キープレフトという言葉は自動車教習所で教わった。ともかく左に寄り、落ち着いて、スピードをだしすぎずにいきなさい。落ち着いて、左に寄って、ほら大丈夫だから。

仲なおりはそれに似ている。けんかの原因になったくいちがいに加えて、けんかであびた言葉やあびせた言葉、みてしまった顔やみせてしまった顔、投げつけた棘《とげ》、つきつけられた棘、それらすべてにもかかわらず、ともかく左に寄り、落ち着いて、スピードをだしすぎずに流れにのって。

もしも車に乗っていくのなら、どんな理由があれコースアウトするわけにはいかない。

仲なおりというのはつまり、世の中には解決などというものはないのだ、と知ることで、それを受け容《い》れることなのだ。それでもそのひとの人生からでていかない、

そのひとを自分の人生からしめださない、コースアウトしないこと。

キープレフトはひどくせつない。そしてときどき途方もなくばかばかしい。なんの解決にもならなくて、それでいてとてもやすらかだから。

たとえば。

夫は極度のめんどうくさがりで、会社から帰って居間で背広を脱いだが最後、一歩もそこを動きたくないらしい。かわりの服をとってきてあげないと何も着ないし、コンタクトレンズをはずしに洗面所にいくのさえ億劫《おっくう》がる始末で、レンズケースと洗浄液と眼鏡を持ってきてあげなくてはいけない。寝そべった夫の頭上五十センチのところにあるリモコンさえとってくれと言うので口論になる。蚊にさされれば、さされた箇所をわずかに持ち上げて「くすり」と言い、なにか薬を塗ってあげるまで何度でも催促する。そんなふうなので、夫はお風呂も億劫がるし、入ってもからすの行水だ（夫の名誉のためにつけ加えれば、彼は毎朝会社にいく前に、ちゃんとシャワーをあびていく）。

私が思うに、男のひとは、女と暮らそうと思ったら、二つに一つしか道はない。清潔に気を配るか、あなたがどんなに不潔でも、そんなことはかまわない、と言わしめるくらい女を夢中にさせておくか。どちらが簡単かは一目瞭然《いちもくりょうぜん》ではないか。

なにしろ我が家はダブルベッドなので、これはゆゆしき問題なのだ。

「お風呂に入るまで、ベッドに入ってこないで」

ついそんなことを言ってしまう。すると夫は居間で寝る。

私はしばらく知らん顔を決めこむが、そのうち不安になってくる。気がとがめもするし、なんだか矢鱈《やたら》に淋《さび》しくなって、夏ならタオルケット、冬なら布団と枕を二つ持ってしまいには居間にいく。まず、寝ている夫の頭の下に枕をはさみこみ、隣に自分の枕をおいて横になる。不思議なことにぐっすり眠れる。夫にぴったりくっついて。

朝になると、背中にはりついた私をみて夫は言う。

「あれ、なんでここにいるの?」

お風呂に入らないひとと一緒には眠れない、などと啖呵《たんか》をきったあとだけに、これはちょっとばつが悪い。

ばつは悪いけれど、そのあと一緒にのむ朝のお茶はやすらかだ。かなしくてばかばかしいやすらかさ。

キープレフト。

つまり、そういうこと。冒頭にあげた自転車のような、結婚生活のこまごましたふわふわしたひそやかな幸福は、そのやすらかさの上にしか成り立たないものなのかもしれないと、たぶん私たちはうすうす感づいている。けんかとキープレフトの果てしないくり返しのなかで。際限のない日々のなかで。

RELISH

去年の夏、夫と福島で桃がりをした。晴れたあかるい日で、桃畑はしずかで愛らしく、いい匂いがした。まるく熟れた桃をもいでは木かげにしゃがんでむいて食べる。弱い風がふいて、気持ちがよかった。私は突然幸福にみたされた気持ちになって、結婚というのはいいものだなと思った。

そういうことはときどきある。

やっぱり去年の夏、日曜日に夫とスーパーマーケットにいって、食料および日用雑貨を山のように買いこんだ。ばかみたいにまぶしく晴れたあつい日で、車は駐車場の三階に停《と》めてあり、かんかんと足音の響く鉄筋の階段をのぼって夫がそれをとりにいくあいだ、私はスーパーの白い袋をいくつも足元におき、駐車場の出口に立って待っていた。手にはなぜだかバナナシェイクを持って。

バナナシェイクは、大きな紙コップに七分目ほども残っている。ふたにストローのつきささったその紙コップは、水滴がついてへなへなになりかけていた。

スーパーにくる前にとおりかかったファーストフード屋で、シェイクのフェア（？）をやっており、普段より百円だか五十円だか安くなっているというそのポスターをみたとたん、どうしてもバナナシェイクを買うと夫が言いだしたのだった。

私はいちおうとめてみた。

「きっと風船ガムみたいな味がするわ」

自慢ではないが、私のそういう勘はあたる。そして、それはほんとうに――そう言った私自身でさえ驚いたくらい――風船ガムそっくりの味がした。甘くて、ひと口のんだらもういい、というやつ。

夫は、しばらく頑張ってのんでいたが、やがて紙コップをさしだすと、

「あげる」

とひとこと言ったのだった。

日曜日の自由が丘のピーコックの駐車場で、私には、手に持ったどろどろのバナ

ナシェイクがなにかとても不思議なものに思えた。スロープからつぎつぎに車がおりてくる。フロントガラスに日ざしが反射してまぶしい。よその人たちの乗っている車。たいていは夫婦のようにみえる。なにしろピーコックだから。

私は夫の車を待ちながら、結婚生活というのはこのバナナシェイクのようにばかげている、と心から思った。そしてそれは、どういうわけかそう悪くもないことなのだった。

結婚して思い知らされたことの一つに、私は死ぬほど理屈っぽい性質だ、というのがある。結婚というのはとことん理屈に合わないものなのだから、これはもうほとんど身の破滅。

ただ、結婚して思い知らされたもう一つのことに、私は怒りを持続できない、というのもあって、そのために物事はより一層混乱する。

結局結婚というのはそれでもひとりを選ばないことなのだろうなと思う。一緒にいない方がやすらかだ、と、いくらわかっていても一緒にいてしまう。

これはあれに似ている。

あれというのは“devil's food”。アルコール中毒者にとってのアルコールのように、わかっているのに遠ざけられない飲食物を“devil's food”と呼ぶらしい。ダイエットの本に書いてあった。

かつて、私の“devil's food”はアイスクリームだった。

その食べ物自体が悪いわけではない。アルコールにしてもアイスクリームにしても、他の人たちにとってはおいしい嗜好品《しこうひん》なのだ。ただ、ある種の人間にとって、それはどうしても手をきらなければならないものであるらしい。一生涯あきらめるべきだと、その本にははっきり書いてあった。一年とか三年とか、ある期間だけそれを絶っても「解決にはならない」らしい。

もっとも、それを読んだとき、私はアイスクリームなしの人生を選ぶくらいなら、悪魔に身も心も委《ゆだ》ねよう、と決心したのだったけれど。

夫は、たぶん私の“devil's person”なのだろう。

以前、イザベル・アンテナが雑誌のインタヴューにこたえて、

「一週間だってひとり寝するのは嫌よ」

と言っているのをみたことがあるが、よくわかる。誰かとくっついて眠るということ。

仕事をしている妻なので、私には夫の知らない時間がけっこうある。夫の知らない知りあいもいる。旅行にもいくし、朝まで飲んで帰ることもある。それについて、夫がどう思っているのか訊《き》いたことはないけれど、それを失ったら私がパニックになることを、たぶん夫は知っている。

お互いに相手の知らない場所で知らない時間をすごしても、一日がおわれば、とりあえずくっついて眠る。

"relish"という単語がある。味わう、とか、おいしく食べる、という意味の動詞（名詞の場合は「味」「風味」「好み」）だけれど、この動詞は二種類の目的語をとる。食べ物と生活だ。"I relished the cake."（そのケーキをおいしく食べた）でもいい

し、“She relishes her new life with a cat.”（彼女は猫と一緒の新しい生活をたのしんでいる）でもいい。生活というのは味わうものなのだ。“relish”は好きな単語だ。そんなふうに暮らしていたいなと思う。ケーキやアイスクリームを味わうように。

そんな生活がいつまで続くかはわからない。

私は、誓いの言葉にある「死が二人を分かつまで」の愛なり生活なりというものは、あくまでも結果だと思っている。少なくとも目的ではないと信じていて、そこは刹那的《せつなてき》でいたい。いつもちゃんとその都度決めたいのだ。

いまはまだ、夫と一緒にいる。それで全部。そうして、一緒にいるあいだは、一緒の生活をたっぷり味わえればいいなと思う。いつか別れるときがきたら、少し泣くかもしれないけれど――。「死が二人を分かつまで」一緒になどいたら、たぶんもっと泣くのだろう。

大きな公園のそばの小さなマンションに引越して三年になる。春には近所じゅうに溢《あふ》れるように桜が咲き、秋には黄紅葉《きもみじ》がいい音で風に揺れる、きれいだけれどちょっと不便な住宅地だ。でも、けんかをしてとびだしたときには終夜営業のデニーズがあるし、タクシーで夜中の街を十五分も走れば、朝の四時までやっている本屋もある。怒りがしずまるまで車の流れを眺められる歩道橋もあって、私は気に入っている。

ここでの生活は、ほんのときどき木かげの桃のように甘い。私たちは、まだもうしばらくここにとどまっていようと思う。

おわりに

結婚してもうじき二年、という秋から、もうじき三年、という秋までのあいだに書いたエッセイです。

情況は刻一刻変化しているので、これはすでに一つの物語です。とおりすぎた物語。

物語ですから、何の役にも立ちません。

でも、柳に風、という感じの、ちっとも学習しない男と女の幸福で不幸な物語になっていればと思います。

英語に、"Rock the boat"（ボートを揺らす）、という表現があります。不用意に事を荒立てる、とか、危険を承知で事を起こす、というような意味で、"Don't rock the boat now” とか、“Let's rock the boat” というふうに使うようですが、私のボートは実にもう日々揺れっぱなしです。

アーサー・ランサムではありませんが、私も夫も、たぶん海にでるつもりじゃなかった。

でも、海はとてもおもしろい。

これはその航海の記録です。なにを書いてもいいと言ってくれた夫に感謝します。

あのマンションは数カ月前にひき払い、私たちはでもやっぱり公園のそばに住んでいます。

きょうは月曜日で、残暑がきびしくて、夫は会社にいっています。夜ごはんには秋刀魚《さんま》を焼くつもりです。

一九九七年　秋

江國香織

解　説

井上荒野《あれの》

何年か前、雑誌の仕事で江國香織さんと一緒に温泉に行った。「風呂好き」という点で完ぺきな一致を見た私たちは、仕事とは無関係に、二人で露天風呂に一時間も入っていた。

その間、いろいろな話をしたが、江國さんのはじまったばかりの結婚生活のことも聞いた。話の終わりに、「今度この生活をテーマにしたエッセイを女性誌に連載することになっているの」と江國さんは言った。

その女性誌は大丈夫だろうかと、私は思ったものだ。エッセイというより、大スペクタクルになりそうな気がしたから。けれども、その後、単行本にまとまったものを読んだとき、それは私の予想とは全く違っていた。ある意味で予想以上にスペクタクルで、さらにはるかに予想以上に、恐かった。

そう、この本は、危険な本だ。

愛の渦中にある人が、憎しみのことを考えはじめ、憎んでばかりいる人に、愛の記憶がよみがえり、一人の人は二人になりたくなり、二人の人は一人になりたくなるかもしれないから。

私たちは、この本の中に、江國香織の結婚生活を（たぶん、最初の期待通りには）覗けない。

もちろん、はじめは幻惑される。彼女が自分とのかかわりを緻密につづる、公園や推理小説や音楽や、あるいは、夫の描写に。

だが次第に戸惑いを覚えはじめる。

たとえば彼女は、

「雨には消炎作用があると思う。だから、もしも感情の起伏――たとえば恋愛――がある種の炎症だとしたら、雨は危険だ」と書く。（雨）

あるいは、結婚してから毎朝リップ・グロスを塗って、「つやつやの唇」にする習慣になった理由として、

「人生なんてどこでどう変わるかわからない。いつ別れることになっても、別れたあと、夫の記憶にのこる風景のなかの私が、少しでも好印象であるように、と思ったのだ」

と書く。（風景）

私たちは落ち着かなくなってくる。

たぶん、いつまでたっても着地地点を得られないからだ。

もう十年以上前のことだが、「離婚」のさまざまなケースを再現フィルムで紹介するという（悪趣味な）バラエティ番組を観ていたとき、「鯖《さば》の味噌《みそ》煮《に》離婚」というケースがあった。

つまり、仕事を持っていて毎日すごく忙しい妻が、ある日仕事から帰ってくると、夫（たしか、職がないか、あっても妻よりずっと収入が少ない）が、鯖の味噌煮を作って待っていて、その瞬間、妻は離婚を決意した、というような話。

鯖の味噌煮のどこが悪いのだ。いい夫ではないか、と当時の私は思ったものだ。けれども、今は、そのときよりずいぶん年をとったし、結婚もしたので、あの妻が憎んだのは、鯖の味噌煮ではなくて、鯖の味噌煮に象徴されるいろいろなものだったのだということがわかる。一方で、世の中には、夫が鯖の味噌煮を作ってくれたことにより冷めかけていた愛情が回復した、という妻も、間違いなくいるだろうことがわかる。

そして、鯖の味噌煮で夫を見限る妻と、愛を深める妻との間には、百万もの妻の億万もの物語が存在していることも知っている。

この本が私たちを落ち着かなくさせるのは、たぶん、そこに書かれているのが、億万の物語のうちの一つではなくて、億万の物語が存在するという可能性、そのことだからだ。

江國香織は「行間」の作家だ。

彼女の文章が行間を示唆するのではなく、「行間」と呼ぶしかないものをすくいとるのが彼女の作品の特質であるように思う。

たとえば、幸福と不幸の間。

愛と憎しみの間。

一人と二人の間。

そこに見えてくるものがあるとしたら何だろうか。

それは「孤独」であると私は思う。

億万通りの物語の存在の可能性の中の、たった一人の自分という孤独。

だから私たちは、江國香織の小説を読むと、強くもなり、気弱くもなる。カレイドスコープのレンズの中に見える模様が、覗くたびに変わるように。

この本において「行間」を、「隙間」あるいは「裂け目」と言い替えてもいい。

私は、果てしない氷河を（場合によっては、降りしきる桜の花びらを）思い浮かべる。本書に書かれているのは、氷と氷の間の裂け目、あるいは、宙を舞う花弁と花弁の隙間だ。

気がつくと、私はその淵に立っている。運が悪いと落ち込んでしまう。

落ちたら、そこは深くて果てしない。

そしてようやく出口が見えたと思ったら、それは自分の内部とどうしようもなくつながっているのである。

「よその女になりたい、と、ときどき思う。よその女というのはつまり、妻ではない女。」（よその女）

――私は思いだす、ある日、キッチンの椅子に座って、ぼーっとしているとき、ふと流し台の辺りを見たら、その光景と自分との親密さにいきなり気がついてびっくりしたこと。

「どうして結婚したのかとよく訊かれるが、私は、自分用の男のひとがほしかったのかもしれない。勿論そのときにそう思ったわけではないけれど、いま思えば、愛情と混乱と幸福な偶然の果てに自分用の男のひとがほしかった気がするし、また、誰か用の女でいたいと強く望んだような気もする。」（放浪者だったころ）

――私は思いだす、私はしょっちゅう夫の自転車の後ろに乗って散歩に行くのだが、その肩甲骨と肩甲骨の間に、私の頭がおもしろいほどすっぽりと入ること。そのとき感じる安定と同じくらいの分量の不安定。

（それにしても、この「私は、自分用の男のひとがほしかったのかもしれない」という一文は私の中に波紋を巻き起こした。「かもしれない」だって！　私は結婚とは、自分用の男のひとがほしいからするものだと今まで信じて疑ったことがなかったのだ。さもなきゃどんな理由で結婚するというのだ、と考えはじめたらますます深い溝にはまっていった）

ところで、後書きには、「物語」という言葉が使われている。実際のところ、「いくつもの週末」はフィクションだろうかノンフィクションだろうか。

突然だが、江國さんは（たぶん本人は無自覚だと思うけれど）話術が巧みだ。あらためて考えれば、彼女の話はどんな話でもある程度スペクタクルだ。私はいつも、彼女の話を聞くと、「わあすごい」「わあこわい」「わあ」「わあ」という状態になる。そして彼女と別れて一人になって冷静になると、「ああやられた」と思うのである。

とすれば、この本は、フィクションの可能性もあるのだけれど、しかし、私たちはいちばん肝心な嘘を自分のためにつく生きものだ、という真実を考え合わせるとき、ではやはりノンフィクションか、とも思えてくる。

そうして、ここにまた一つ、

嘘とほんとうの間――

という裂け目が現出し、私たちの心は振動させられるのだ。

挿画初出一覧

7ページ　「オランダにいった日本の小おにの話」（「幼年クラブ」昭和23年1月　講談社）
13ページ　「たれのかげ」（『茂田井武画集1946→1948』平成3年4月　JULA出版局）
24ページ　「雨」（『幼年童話文庫　あたしの人形』昭和23年1月　教養社）
33ページ　「でんしゃにのったちょうちょ」（『ねずみ花火』昭和24年8月　新子供社）
44ページ　「海の都《ゾイゼルゼー》」（「漫画クラブ」昭和22年9月　共立社）
53ページ　「ヨーロッパ漫歩　その二　モスクワの半日」（「大衆文芸」昭和16年8月　新小説社）
64ページ　「きょねんの木」（『幼年童話　きつねのおつかい』昭和23年12月　福地書店）
71ページ　「星の輪　第三回」（「子供雑誌」昭和22年11―12月　白鳥書院）
82ページ　「おとした一せんのおかね」（『幼年童話　きつねのおつかい』昭和23年12月　福地書店）
93ページ　「とけいの中」（『幼年童話文庫　あたしの人形』昭和23年1月　教養社）
102ページ　「ヨーロッパ漫歩　その三　フランダースの風」（「大衆文芸」昭和16年9月　新小説社）
113ページ　「きょねんの木」（『幼年童話　きつねのおつかい』昭和23年12月　福地書店）
122ページ　「星の輪　第三回」（「子供雑誌」昭和22年11―12月　白鳥書院）

133ページ　「ねことねずみのやくそく」（『二年生　グリムどうわ』昭和26年12月　宝文館）
140ページ　「りょうしとヒラメ」（『グリム物語』昭和33年5月　東光出版社）
149ページ　「オアル広場」（「大衆文芸」昭和22年8月　新小説社）
158ページ　「マザーグース童話」（「金と銀」昭和23年3月　白鳥書院）

カバー　「伯林の旅宿にて燕のとぶを眺める」（『茂田井武画集　古い旅の絵本』平成11年12月　JULA出版局）

口絵　「アクロバット」（「少年少女の広場」昭和23年7月　新世界社）

茂田井　武（もたい　たけし）
明治41年東京生まれ。昭和11年頃より挿し絵画家として幅広く活躍。昭和31年没。

挿画協力・ちひろ美術館　JULA出版局　トムズボックス

引用作品ガイド

J・アップダイク「鳩の羽根」（『アップダイク自選短編集』岩元巌訳　新潮社）

D・スパーク「暗い夜の島で」「母の友達」（『蛙たちが死んだ夏』古屋美登里訳　筑摩書房）

R・ブローティガン「レストラン」（『ロンメル進軍』高橋源一郎訳　思潮社）

A・マンロー「マイルズ・シティ、モンタナ」（『描かれた女性たち』川本三郎訳　スイッチ・コーポレイション）

T・ホウグ『夜の罪』（岡聖子訳　扶桑社）

（この作品は、一九九七年十月、世界文化社より刊行されました）
ＪＡＳＲＡＣ　出０１０４９５１―１０１

集英社文庫

いくつもの週末《しゅうまつ》

2001年5月25日　第1刷
2001年7月10日　第3刷

定価はカバーに表示してあります。

著　者　江《え》　國《くに》　香《か》　織《おり》

発行者　谷　山　尚　義

発行所　株式会社　集　英　社

東京都千代田区一ツ橋2—5—10
〒101-8050
電話　03（3230）6095（編集）
03（3230）6393（販売）
03（3230）6080（制作）

印　刷　図書印刷株式会社

製　本　図書印刷株式会社

Printed in Japan

ISBN4-08-747319-8 C0195